saumon fumé

Catalogage avant publication de Bibliothèque et Archives Canada

Hansen, Max
  Saumon fumé

  (Tout un plat!)
  Traduction de : Smoked salmon.

  1. Cuisine (Saumon).   2. Saumon fumé.   I. Goldenson, Suzanne.
  II. Titre.   III. Collection.

TX748.S24H3614 2005   641.6'92   C2005-941554-1

Pour en savoir davantage sur nos publications,
visitez notre site : **www.edhomme.com**
Autres sites à visiter : www.edjour.com
www.edtypo.com • www.edvlb.com
www.edhexagone.com • www.edutilis.com

08-05

© 2003, Max Hanson et Suzanne Goldenson (textes)
© 2003, Sang An (photos)

© 2005, Les Éditions de l'Homme,
une division du groupe Sogides,
pour la traduction française

L'ouvrage original a été publié par Chronicle Books LLC
sous le titre *Smoked Salmon*
Tous droits réservés

Dépôt légal : 3e trimestre 2005
Bibliothèque nationale du Québec

ISBN 2-7619-2127-5

DISTRIBUTEURS EXCLUSIFS :

• Pour le Canada et les États-Unis :
  MESSAGERIES ADP*
  955, rue Amherst
  Montréal, Québec H2L 3K4
  Tél. : (514) 523-1182
  Télécopieur : (450) 674-6237
  * Filiale de Sogides ltée

• Pour la France et les autres pays :
  INTERFORUM
  Immeuble Paryseine, 3, Allée de la Seine
  94854 Ivry Cedex
  Tél. : 01 49 59 11 89/91
  Télécopieur : 01 49 59 11 96
  Commandes :   Tél. : 02 38 32 71 00
                Télécopieur : 02 38 32 71 28

• Pour la Suisse :
  INTERFORUM SUISSE
  Case postale 69 - 1701 Fribourg - Suisse
  Tél. : (41-26) 460-80-60
  Télécopieur : (41-26) 460-80-68
  Internet : www.havas.ch
  Email : office@havas.ch
  Distribution : OLF SA
  Z.I. 3, Corminbœuf
  Case postale 1061
  CH-1701 FRIBOURG
  Commandes : Tél. : (41-26) 467-53-33
                  Télécopieur : (41-26) 467-54-66
                  Email : commande@ofl.ch

• Pour la Belgique et le Luxembourg :
  INTERFORUM BENELUX
  Boulevard de l'Europe 117
  B-1301 Wavre
  Tél. : (010) 42-03-20
  Télécopieur : (010) 41-20-24
  http://www.vups.be
  Email : info@vups.be

Gouvernement du Québec – Programme de crédit d'impôt pour
l'édition de livres – Gestion SODEC – www.sodec. gouv. qc. ca

L'Éditeur bénéficie du soutien de la Société de développement des
entreprises culturelles du Québec pour son programme d'édition.

Nous reconnaissons l'aide financière du gouvernement du Canada
par l'entremise du Programme d'aide au développement de l'industrie de l'édition (PADIÉ) pour nos activités d'édition.

tout un plat !

saumon fumé

Max Hansen
Suzanne Goldenson

Traduit de l'américain par Christine Balta
Photos : Sang An

LES ÉDITIONS DE L'HOMME

Le saumon fumé et moi

J'ai une véritable passion pour le saumon fumé. Quand j'y pense, cela n'a rien de surprenant. Petit, j'aimais le poisson, le homard, les pétoncles et les moules. On peut dire que j'ai ça dans le sang! En fait, je crois que ça remonte à ma passion pour la pêche et au goût formidable du poisson frais pêché. Quand j'étais jeune, aller à la pêche, prendre du poisson constituait la principale activité de nos longs étés. C'est mon oncle John qui m'a appris à pêcher à la mouche dans les ruisseaux et les lacs paradisiaques du Montana et je n'ai jamais oublié le goût des truites poêlées que ma tante Tia nous préparait. Nous passions tous nos étés en famille sur l'île MacMahan, au large de la côte du Maine, et mes frères, mes cousins et moi ramenions régulièrement à la maison du bar rayé, du flétan, des palourdes et des moules pour le repas que nous partagions autour de la table commune.

Je me souviens que la première fois où j'ai goûté du saumon fumé, j'étais au collège et je travaillais l'été dans les cuisines de l'Ocean Club, à Martha's Vineyard. Ce fut un véritable coup de foudre. Cette première expérience a amorcé une recherche personnelle visant à mettre au point la recette parfaite du saumon fumé – recherche qui devait donner forme à ma carrière dans l'industrie alimentaire et en fin de compte donner naissance à ce livre.

Ce goût pour la perfection a commencé pour de bon au début des années 80 lorsque je suis allé vivre à Manhattan. Mes journées étaient longues et dures et je travaillais six jours sur sept dans diverses cuisines de restaurants de la ville. Mais le septième jour, en plus de dormir, je traquais le meilleur saumon fumé en ville, faisant des essais qui me menèrent chez Barney Greengrass, Zabar's et Fairway Market dans l'Upper West Side jusqu'à Balducci's en passant par Dean & DeLuca au centre-ville, sans oublier Acme Smoked Fish à Brooklyn. C'est à la suite de ces essais que j'ai commencé à fumer mon propre saumon et à expérimenter avec un réfrigérateur équipé d'un chauffage au bois. Après des essais interminables où j'opposais le saumon de l'Atlantique à celui du Pacifique, tout en recherchant l'équilibre parfait entre le salé et le sucré, la durée du fumage et la température et en testant toute une variété de copeaux de bois, j'ai enfin réussi à fumer le saumon exactement comme je l'aimais.

Les autres semblaient l'aimer aussi. Aujourd'hui, mon saumon fumé est devenu la signature de ma compagnie BUCKS County, située en Pennsylvanie, connue sous le nom de Max & Me Catering. Des présidents et des stars du rock l'ont apprécié et mon saumon fumé a été servi dans quelques-uns des meilleurs restaurants des États-Unis, y compris au restaurant The French Laundry de la Vallée de Napa et au Manhattan's Town. On peut le trouver dans des boutiques gastronomiques comme Aux Délices à Greenwich, dans le Connecticut ou se le procurer par catalogue comme chez Dean & DeLuca à Manhattan.

J'ai écrit ce livre avec l'intention de partager le goût formidable du saumon et d'illustrer sa polyvalence tout en vous incitant, cher lecteur, à créer vos propres recettes. Le saumon fumé a d'immenses possibilités qui dépassent de beaucoup l'assiette classique ou les traditionnels bagels au fromage à la crème. J'espère qu'après avoir lu ce livre, vous serez accrochés au saumon fumé offert avec certains de mes accompagnements préférés tels que : Frisée aux lardons de saumon fumé assaisonné d'une vinaigrette crémeuse aux noix (p. 98), Pouding au pain challa servi avec du saumon fumé dans une sauce à la truffe blanche et à la ciboulette (p. 84) ou ce Tartare de saumon fumé accompagné de gâteaux de pommes de terre, de crème fraîche et de caviar de sevruga (p. 64). Je suis un fervent défenseur du saumon fumé non seulement parce que c'est un poisson au goût extraordinaire, mais parce qu'il offre aussi des avantages impressionnants pour la santé. Nous sommes plus que jamais conscients de l'importance d'être en bonne santé, et il se trouve que le saumon est riche en chaînes longues d'huiles oméga-3 polyinsaturées qui aident à entretenir la bonne santé du cœur. Plusieurs affirment que les acides gras des oméga-3 permettent d'éviter les maladies cardiaques, réduisent l'hypertension, diminuent le risque d'arthrite rhumatoïde, aident le développement du fœtus et de l'enfant et protègent même contre le cancer du sein.

En espérant faire du saumon fumé un aliment de consommation courante dans les ménages, plutôt

qu'un aliment de second plan, j'ai écrit les pages qui suivent en y incluant non seulement mes préparations préférées, mais aussi les plats favoris de certains des chefs de premier rang aux États-Unis : Thomas Keller, Chris Guesualdi et Joshua Schwartz. Les plats dont il est ici question illustrent également la polyvalence du saumon fumé. Il est parfait servi en hors-d'œuvre ou en entrée mais comme plus de la moitié des recettes qui suivent tendent à le démontrer, le saumon fumé peut également jouer un rôle important dans une version modernisée de la vichyssoise et de la salade niçoise, un pouding au pain consistant servi en plat unique ou un plat de lentilles, avec autant de style que de bon goût.

Pour le pêcheur à la ligne, j'ai inclus quelques conseils sur l'achat d'un fumoir et des directives pour fumer le saumon fraîchement pêché. Et c'est en pensant au chef à domicile passionné et débrouillard que je donne ici une recette pour fumer au wok du saumon acheté dans le commerce.

Avant de vous lancer dans les recettes, je vous conseille de lire les directives générales concernant la manipulation du saumon fumé que vous vous êtes procuré, qu'il soit fraîchement coupé en tranches, emballé sous vide, acheté au supermarché, dans une poissonnerie ou une épicerie fine. Dans les pages du début, vous retrouverez aussi des ingrédients spéciaux comme le caviar et des techniques pour confectionner des «rosettes» de saumon fumé.

Ce qu'il faut savoir sur le saumon fumé

COMMENT FUMER LE SAUMON

Le fumage du saumon est une pratique qui remonte à la découverte du feu. Longtemps avant l'arrivée des Européens sur nos rivages, les Amérindiens faisaient sécher sur des planches de bois du saumon frais devant les feux de camp. Aujourd'hui, les nouveaux Américains recyclent de vieux frigos et les convertissent en fumoirs à froid en y attachant une

boîte à fumée. J'avoue que mon premier fumoir était un Frigidaire converti, récupéré sur le bord de la route. À présent, je me sers d'un fumoir Afos ultramoderne en acier inoxydable capable de fumer 50 côtés de saumon à la fois en 3 ou 4 h.

Je suppose que la plupart des lecteurs achèteront du saumon fumé de leur fournisseur préféré, mais je réserve aux bricoleurs et aux pêcheurs à la ligne la recette suivante qui leur permettra de fumer le saumon dans leur cour. Cette méthode traditionnelle donne un fumage parfumé que l'on peut rectifier en jouant sur la durée du fumage et différents bois aromatiques. Il vous suffira d'expérimenter tout en prenant des notes jusqu'à ce que vous obteniez le goût précis que vous recherchez. Le fumage du saumon sera alors une expérience des plus satisfaisantes.

L'espèce de saumon que je préfère pour le fumage est un saumon d'élevage de l'Atlantique en provenance du Maine qui possède une teneur en gras optimale. En effet, ce saumon est plus maigre que son cousin canadien qui nage en eau froide, mais il a en même temps une teneur en gras plus élevée que son cousin chilien qui nage en eau plus chaude et dont la chair est beaucoup plus maigre.

La taille idéale d'un saumon destiné au fumage est de 3,8 kg (8 lb) à 4,8 kg (10 lb). De préférence, je choisis un poisson frais qui n'a pas été congelé auparavant. Pourquoi? Parce que l'huile se perd dans le processus de congélation, ce qui altère la texture de la chair. En outre, la congélation crée des cristaux de glace qui transpercent la chair en la rendant plus poreuse. Du coup, l'absorption du sel se fait plus rapidement. (Si vous utilisez du saumon décongelé, assurez-vous de raccourcir le temps de fumage.)

Nettoyez et écaillez les filets en prenant soin de ne pas abîmer la chair.

On trouve sur le marché divers fumoirs domestiques. Je vous conseille d'acheter un fumoir en fonction de la dimension des aliments que vous souhaitez fumer, en sachant que les petits fumoirs sont plus efficaces et en vous assurant que c'est un fumoir à froid. En effet, le fumage à froid n'altère pas la texture du poisson. Autre chose: assurez-vous que la température n'excède jamais 32 °C (90 °F) sinon la chair commencerait à cuire et deviendrait trop molle.

SAUMON FUMÉ TRADITIONNEL

Le mélange utilisé pour le saumon fumé est de 4 parties de gros sel pour 1 partie de sucre granulé bien mélangés. Ajuster selon la quantité de saumon à fumer. Cette quantité-ci est suffisante pour fumer un saumon de 4,8 kg (10 lb) à 6,7 kg (14 lb).

4 filets de saumon entiers (côtés entiers)
de 1,2 kg (2 ½ lb) à 1,4 kg (3 ½ lb) chacun,
écaillés en gardant la peau intacte
1,9 kg (4 lb) de gros sel
480 g (1 lb) de sucre granulé

Passer les doigts sur le côté de chaque filet de saumon et, à l'aide d'une pince, enlever les arêtes. Déposer les filets sur une planche à découper, peau

vers le haut. À l'aide d'un couteau tranchant et en procédant de la tête à la queue, pratiquer des incisions peu profondes, de 5 cm (2 po) de long tous les 8 cm (3 po) en transperçant à peine la peau.

Dans un grand bol, mélanger intimement le sel et le sucre.

Pour fumer le saumon, humecter le côté peau de chaque filet à l'aide d'un vaporisateur rempli d'eau froide, répandre une mince couche du mélange sel-sucre sur la peau du saumon puis vaporiser à nouveau de l'eau. Cela aide le mélange à adhérer à la peau. Très soigneusement, glisser les mains sous le filet et le retourner, en faisant attention de ne pas éparpiller le sel.

Répéter le processus côté chair en commençant par vaporiser de l'eau puis du mélange sel-sucre en ayant soin de laisser intact un bord de 2,5 cm (1 po) tout autour des côtés du filet. Le mélange sel-sucre sur le côté chair du saumon devrait également être un peu plus épais – d'environ 3 mm (⅛ po) que sur le côté peau. S'assurer d'utiliser moins de mélange en arrivant à la queue qui est beaucoup plus fine.

En faisant très attention, placer les filets sur une grille en acier inoxydable au-dessus d'une lèchefrite (pour recueillir le liquide extrait sous l'action du sel). Mettre au réfrigérateur pour fumer et compter entre 18 h pour un filet de 720 g (1 ½ lb) à 900 g (2 lb) et jusqu'à 30 h pour un côté de 1,4 kg (3 ½ lb) à 1,9 kg (4 lb). Le saumon est prêt lorsque la chair est ferme mais pas solide lorsqu'on enfonce son doigt (comme de la viande à point ou bien cuite). Le saumon devrait avoir absorbé presque tout le sel. En tenant un registre, vous pourrez fumer le saumon à votre goût en chronométrant le fumage du filet chaque fois et en rectifiant. Il faut savoir que plus le fumage est long, plus le poisson est sec et plus la teneur en sel est élevée.

Une fois les filets fumés, les rincer parfaitement à l'eau froide. Nettoyer les grilles, y replacer le poisson, côté peau vers le bas. Surtout n'épongez pas le poisson! À l'aide d'un ventilateur, sécher le poisson à l'air pendant 2 à 3 h, selon l'humidité ambiante. Il se forme alors ce que l'on appelle la pellicule qui est la membrane qui se forme avec le mélange de la mixture sel-sucre et de l'humidité qui demeure une fois que l'on a rincé le poisson. Le poisson doit être très sec au toucher avant de passer au fumoir.

Pour fumer le saumon, suivre les directives de votre fumoir concernant le fumage des filets de saumon. Personnellement, je préfère un mélange de bois fruités et de bois durs qui donnent un fumage équilibré. Un fumage tout hickory ou tout chêne risque d'écraser la subtile saveur du saumon. Comptez de 2 à 6 h pour fumer les filets suivant la taille de votre fumoir.

Une fois que le saumon a développé une saveur agréable, retirez-le du fumoir et laissez-le refroidir en le réfrigérant pendant au moins 10 h avant de le consommer. Cela permet au saumon et aux saveurs du fumage de se marier.

COMMENT CONSERVER LE SAUMON FUMÉ

Enveloppé dans une pellicule de plastique ou dans du papier parchemin, le saumon fumé se gardera jusqu'à une semaine au réfrigérateur. Pour une conservation plus longue, emballer sous vide avec une scelleuse domestique ou envelopper le saumon en double dans des sacs en plastique pour congélateur, et placer au congélateur (le saumon se gardera jusqu'à 6 mois). Le saumon fumé est meilleur frais. La congélation altère la texture soyeuse de la chair et, au fil du temps, sa saveur très fine se détériore.

COMMENT TRANCHER LE SAUMON FUMÉ

Idéalement, vous possédez un couteau spécial pour trancher le saumon fumé, qui est long, très souple et très coupant. Commencez par la queue, et tranchez le saumon en biais aussi finement que possible. Comme la queue a tendance à être un peu plus salée, je réserve ces premières tranches pour la Mousse de saumon fumé (p. 20) ou pour les Œufs brouillés au lox et aux oignons (p. 70). Une fois que vous avez tranché le poisson, enlevez toute tache de sang du poisson avant de l'utiliser.

NOTIONS ÉLÉMENTAIRES POUR FAIRE LES RECETTES

Enlevez soigneusement le triangle foncé qui se trouve en bas de chaque tranche de saumon fumé à l'aide d'un couteau. Cette partie est peu attrayante et a un goût assez prononcé.

Dans cet ouvrage, il est partout fait mention de variétés spéciales de fruits et de légumes, de condiments et d'épices et de diverses techniques de cuisson. Vous trouverez ici la description de ces ingrédients préférés et certains trucs acquis au cours de ma carrière en tant que chef, instructeur dans un institut culinaire, propriétaire de magasin de vente au détail et traiteur.

QUELQUES INGRÉDIENTS FAVORIS

AVOCAT : Choisissez des avocats vert foncé à la peau bosselée. Malgré leur aspect moins attirant que les avocats à peau vert clair et douce au toucher, ils ont une saveur beaucoup plus riche. Pour savoir si votre avocat est à point, pressez-le doucement. La peau doit résister un peu sans être trop molle.

N'achetez pas d'avocats durs comme de la pierre à moins de pouvoir attendre une bonne semaine avant de les consommer. Un truc pour accélérer le mûrissement d'un avocat presque mûr : placez-le dans un contenant, recouvrez-le de farine et laissez-le toute la nuit dans un endroit chaud de votre cuisine.

BEURRE : Le beurre non salé est fortement recommandé. On peut toujours ajouter du sel, mais on ne peut pas en enlever si le goût est trop salé. De plus, le beurre doux a un goût plus frais que le beurre salé et est plus polyvalent.

CAVIAR : Le vrai caviar est la laitance (les œufs) de l'esturgeon de la mer Caspienne. Les meilleurs

caviars sont tous malossol ou «légèrement salés».
Il existe trois catégories d'esturgeon provenant de
la mer Caspienne : le sevruga, l'osetra et le beluga.
Les œufs de sevruga sont les plus petits et sont
généralement très foncés. Ils proviennent de
l'esturgeon le plus petit et sont les moins coûteux.
Les œufs d'osetra, qui sont souvent gris clair ou
dorés, ont une saveur de noisette et sont de taille
moyenne. Ils sont de meilleure qualité que les œufs
de sevruga. Ils proviennent d'un poisson de taille
moyenne. Enfin, le beluga est le roi des caviars.
Il provient de l'esturgeon le plus gros (et le plus
rare). Les œufs sont les plus gros et de loin les
plus chers.

Bien que ce ne soit pas du caviar à proprement
parler, il existe d'autres œufs de poisson que l'on
appelle ainsi. Ainsi, le caviar de saumon, aussi
connu sous le nom de keta, est à prix raisonnable.
Il s'agit d'une laitance à gros grains, d'une couleur
magnifique. Le tobiko, laitance du poisson volant, est
également très intéressant et son coût est
abordable. Il a une texture croquante très
particulière et est d'un orange riche très décoratif.
Le caviar du poisson-spatule connaît une popularité
croissante. On peut dire qu'en Amérique, c'est
le caviar qui s'apparente le plus à celui de la
mer Caspienne.

CONCOMBRE : Vous préférerez les concombres anglais
à peau fine et pratiquement sans graines. On les
appelle aussi concombres de serre.

CRÈME FRAÎCHE : La crème fraîche est la version
française plus riche et plus crémeuse que la crème
sure couramment utilisée en Amérique du Nord.
Tout comme la crème à fouetter, cependant, elle a
tendance à faire des grumeaux si on la fouette trop.
Prudence, donc. Mais contrairement à la crème
sure, on peut la chauffer sans crainte qu'elle se
décompose.

Pour faire de la crème fraîche, ajouter 1 cuillerée
à soupe de babeurre à 1 litre (4 tasses) de crème
épaisse. Couvrir librement et laisser reposer 8 h à
21 °C (70 °F). Elle épaissira et aura la consistance
d'une crème sure molle. Réfrigérez-la au moins
2 h avant de vous en servir. La crème fraîche se gardera au moins 2 semaines au réfrigérateur. (Plus le
babeurre et la crème sont frais, plus la crème fraîche se
conservera longtemps.)

FROMAGE À LA CRÈME : Choisissez un fromage à la crème
au goût riche, et préférez les fromages confectionnés
sans agar-agar, qui est un stabilisant, ni ingrédients
artificiels. La texture n'en sera que plus délicate.

HUILE : En général, lorsqu'une huile sans goût est
nécessaire, un bon choix est l'huile de canola (colza).
Utilisez de l'huile d'arachide chaque fois qu'il faut

faire sauter ou frire les aliments car son point de fumée est élevé. Si vous êtes allergique aux noix, l'huile de canola est un bon remplacement. Réservez votre meilleure huile d'olive extravierge pour les préparations froides. En effet, à la chaleur, l'huile d'olive perd sa saveur délicate.

MAYONNAISE : Si vous ne voulez pas faire votre mayonnaise vous-même, il existe de l'excellente mayonnaise dans le commerce. En Amérique du Nord, la meilleure mayonnaise a deux noms : Hellman's, sur la Côte est, Best Foods, sur la Côte ouest.

MOUTARDE : Utiliser de la moutarde de Dijon ou de la moutarde en grains (Pommery et Créole) pour les recettes données ici.

ŒUFS : La taille des œufs est toujours indiquée dans les recettes. La plupart du temps, vous aurez besoin de gros œufs. Certaines recettes requièrent 12 œufs extra-gros auxquels vous pouvez substituer 14 gros œufs.

OIGNON DOUX : Si, dans une recette, on vous demande d'utiliser des oignons doux, vous avez l'embarras du choix. S'ils sont hors saison ou introuvables, vous pouvez les remplacer par des oignons jaunes. Dans les recettes de cet ouvrage, vous utiliserez la plupart du temps des oignons de taille moyenne.

PERSIL : Recherchez le persil plat (aussi appelé persil italien). Il a une saveur plus profonde que son cousin frisé.

SEL : Je préfère le gros sel pour un usage quotidien à cause de sa saveur plus franche et de sa texture grossière qui le rend plus facile à ajouter aux plats à la main. Sa structure aérienne et cristalline en fait aussi un sel moins salé par volume que le sel de table. On contrôle moins bien le sel fin qui contient en outre de l'iode et des agents anti-agglutinants qui risquent d'en changer la saveur. Deux recettes mentionnent la fleur de sel, qui est un sel récolté naturellement dans les marais salants en France, sur la côte atlantique. Vous pouvez sans problème le remplacer par du gros sel.

QUELQUES TECHNIQUES PARTICULIÈRES

AIL RÔTI : Imprégner légèrement d'huile d'olive les gousses d'ail pelées après les avoir salées et poivrées.

Les mettre dans un petit ramequin recouvert d'une feuille de papier d'aluminium et les faire rôtir dans un four préchauffé à 150 °C (300 °F) environ 30 min, jusqu'à ce qu'elles soient tendres. Les utiliser entières ou les réduire en purée à l'aide d'une fourchette.

GRAINES RÔTIES : Disposer les graines dans une petite sauteuse à feu doux et faire chauffer de 3 à 5 min en remuant de temps en temps jusqu'à ce que les graines se colorent. Surveillez attentivement la cuisson car elles brûlent vite! Retirez-les immédiatement de la chaleur et faites-les refroidir dans une assiette.

MOUDRE DES FINES HERBES ET DES ÉPICES : Pour moudre des fines herbes et des épices, je me sers d'un petit moulin à café électrique que je réserve à ce seul usage.

Commencez par faire griller à feu doux graines et fines herbes dans une sauteuse non graissée jusqu'à ce qu'elles libèrent leur arôme. Les laisser refroidir puis les moudre à la consistance désirée.

NOIX RÔTIES : Les noix ont tendance à brûler très rapidement lorsqu'on les fait griller à la poêle sèche. Pour plus de sécurité, mélanger 1 c. à café (1 c. à thé) de beurre non salé par quantité de 100 g (½ tasse) de noix dans une petite sauteuse. Ajouter les noix au beurre et remuer pour bien les enrober. Les disposer sur une plaque à biscuits recouverte de papier sulfurisé et cuire de 10 à 15 min à four préchauffé à 150 °C (300 °F) jusqu'à ce qu'elles soient d'un brun doré. Régler votre minuterie à 10 min et surveillez souvent pour voir si les noix sont prêtes.

OIGNONS FONDUS : Dans de nombreuses recettes, il est question de ces oignons. Il s'agit tout simplement d'oignons que l'on fait cuire à feu très doux dans une bonne quantité de beurre jusqu'à ce qu'ils soient tendres et translucides, ce qui prend en général 10 min. Plus la cuisson est lente, plus elle est longue et plus les oignons sont doux et sucrés. Avec le beurre restant, et si vous n'en avez pas besoin pour la recette, vous pouvez faire sauter des latkes ou vous en servir dans une sauce tomate fraîche.

ROSETTES DE SAUMON : Enroulez sans serrer une tranche de saumon fumé autour de votre pouce en vous assurant que le bord inégal de la tranche pointe en direction de l'endroit où la rosette va se trouver. Descendre votre pouce près de cet endroit en faisant doucement glisser le saumon à l'intérieur et en retournant les côtés pour former les «pétales» des rosettes.

CANAPÉS ET HORS-D'ŒUVRE

Johnnycakes au saumon fumé et à la crème fraîche

INGRÉDIENTS

JOHNNYCAKES
- 1 gros œuf
- 180 g (1 tasse) de farine de maïs jaune moulue sur pierre
- 425 ml (1 3/4 tasse) de lait entier
- 4 c. à soupe de beurre doux fondu
- 1 c. à café (1 c. à thé) de gros sel

- Beurre doux fondu, pour graisser la poêle
- 18 tranches de saumon fumé
- 2 c. à soupe de crème fraîche (p. 13)
- 2 c. à soupe d'échalotes vertes finement hachées
- 18 tiges de persil plat frais

Dans les années 1700, les premiers johnnycakes étaient préparés à base de farine de maïs, d'eau (ou de lait) et de sel. Dans cette recette, l'ajout d'un œuf et de beurre fondu donne plus de légèreté et d'onctuosité à ces crêpes épaisses.

- Dans un bol, combiner tous les ingrédients. Bien mélanger au fouet puis laisser reposer 30 min.

- Mettre sur feu moyen une poêle antiadhésive de 20 cm (8 po). Quand elle est chaude, en badigeonner l'intérieur à l'aide d'un papier absorbant généreusement imbibé de beurre fondu. Laisser tomber des cuillères à soupe de pâte dans la poêle chaude en prenant soin de bien les espacer. (Les pancakes devraient faire dans les 4 cm (1 ½ po) de diamètre.) Quand le dessus des pancakes a un aspect ferme et sec, après 1 min environ, soulever les bords à l'aide d'une spatule en plastique. Secouer la poêle à deux ou trois reprises, et faire sauter les johnnycakes, comme des crêpes, d'un geste du poignet. (Si cette opération semble trop risquée, on peut se contenter de retourner les pancakes à la spatule.) Terminer en les laissant cuire 15 sec de plus. Les empiler au fur et à mesure sur un plat et les recouvrir d'un linge propre qui ne peluche pas. Procéder ainsi jusqu'à épuisement de la pâte, en ayant soin de rebeurrer la poêle. On doit obtenir en tout 18 johnnycakes.

POUR SERVIR

- Disposer les pancakes sur une assiette ou un plat de service. Enrouler une tranche de saumon fumé au centre de chaque pancake. Garnir d'une bonne cuillerée de crème fraîche et parsemer de ciboulette. Disposer au centre une tige de persil.

«Rosettes» de saumon fumé sur pain aux raisins et aux noix de pécan

INGRÉDIENTS   PRÉPARATION

INGRÉDIENTS

- 3 ou 4 tranches de pain aux raisins et aux noix de pécan
- 2 c. à soupe de beurre doux à température ambiante
- 18 tranches de saumon fumé
- 5 brins d'aneth frais
- Œufs de saumon ou caviar sevruga (facultatif)

PRÉPARATION

Si vous ne vivez pas à Manhattan où se trouve la boulangerie artisanale d'Éli, votre pain brun préféré aux fruits fera parfaitement l'affaire, qu'il soit aux raisins, aux figues ou aux raisins et noix de pécan.

• Couper les croûtes du pain. Disposer les tranches sur une planche à découper et les tartiner de beurre. Couper le pain en 18 carrés, style bouchées, d'environ 2,5 cm de côté (1 po).

• Avec les tranches de saumon, confectionner des «rosettes» (p. 15) et en disposer une sur chaque bouchée de pain.

POUR SERVIR

• Disposer les canapés sur un plateau et les garnir de brins d'aneth. En alternance, placer au centre de chaque rosette une petite quantité d'œufs de saumon ou de caviar sevruga et garnir chaque bouchée d'un brin d'aneth.

Mousse de saumon fumé

Recette idéale pour accommoder les restes de saumon que vous aurez soin de décongeler avant de les réduire en purée. Vous pouvez servir la mousse dans un bol et disposer autour des feuilles d'endives et un couteau.

MOUSSE

• Dans un robot de cuisine, mélanger le saumon fumé, le fromage à la crème et la crème sure jusqu'à ce que la texture soit bien lisse. Goûter et rectifier au besoin en ajoutant un peu de poivre et éventuellement du sel, quoique le saumon fumé en contienne déjà suffisamment. Transférer le mélange dans une poche à décorer munie d'une douille moyenne en forme d'étoile. Réserver.

PRÉPARATION DES ENDIVES

• Couper les extrémités de chaque endive et en détacher les feuilles. À l'aide d'un couteau à éplucher ou de ciseaux de cuisine, arrondir les extrémités de chaque feuille.

POUR SERVIR

• À l'aide de la douille, déposer une rosette de mousse de saumon fumé à la base de chaque feuille. Disposer les feuilles ainsi parées sur un plateau de service et garnir de frondes de fenouil.

PRÉPARATION

INGRÉDIENTS

- 120 g (4 oz) de saumon fumé (tranches ou restes)
- 120 g (4 oz) de fromage à la crème
- 60 ml (¼ tasse) de crème sure
- Gros sel et poivre du moulin
- 4 endives
- Frondes de fenouil ou tiges d'aneth frais

Œufs à la diable au saumon fumé

- 6 gros œufs
- Gros sel
- 60 g (2 oz) de saumon fumé, en tranches ou en retailles
- 2 c. à soupe de mayonnaise (p. 14)
- 2 c. à soupe de crème sure
- 1 c. à soupe d'aneth frais haché
- 1 c. à café (1 c. à thé) de moutarde en grains
- Poivre du moulin
- 12 petits brins d'aneth frais
- 60 g (2 oz) de caviar de qualité (facultatif)

J'aime utiliser de la moutarde en grains pour cette recette. Mes préférées sont la Pommery et la Créole.

ŒUFS

• Placer les œufs dans une casserole, les recouvrir d'eau froide et ajouter une généreuse pincée de sel. Porter à ébullition sur feu moyen-élevé, réduire la chaleur pour que l'eau frémisse et compter 8 min en tout à partir de l'ébullition. Égoutter les œufs et les taper sous l'eau froide du robinet. Une fois tiédis, enlever la coquille et les couper en deux dans le sens de la longueur. Séparer les blancs des jaunes en prenant soin de ne pas casser les blancs. Rincer les blancs, les sécher avec du papier absorbant et réserver.

GARNITURE

• Dans un robot de cuisine, combiner jaunes d'œuf, saumon, mayonnaise, crème sure, aneth et moutarde et mixer jusqu'à obtenir une texture lisse. Saler et poivrer au goût. Transférer le mélange dans une poche à décorer munie d'un embout moyen en forme d'étoile.

POUR SERVIR

• Remplir le mélange dans les demi-blancs d'œuf. Disposer les œufs sur un plateau et décorer avec des brins d'aneth. Pour donner un peu de hauteur, garnir chaque demi-œuf avec du caviar, au goût.

Crostinis au saumon fumé avec roquette, mascarpone et échalotes frites

INGRÉDIENTS

CROSTINIS
- 1 baguette coupée en rondelles de 6 mm (¼ po) d'épaisseur, les 2 croûtons enlevés
- 2 c. à soupe de beurre non salé fondu

ÉCHALOTES FRITES
- Huile d'arachide pour la friture
- 3 échalotes, finement émincées
- Gros sel et poivre du moulin

- 18 tranches de saumon fumé
- 60 ml (¼ tasse) de mascarpone
- 1 botte de roquette tendre

PRÉPARATION

Si vous ne disposez pas de roquette miniature, très tendre, coupez des feuilles plus grosses en lanières. Peur de frire les échalotes ? Caramélisez-les à la place en les faisant revenir dans le beurre à feu doux-moyen pendant 7 à 10 min.

CROSTINIS

• Préchauffer le four à 180 °C (350 °F). Disposer les tranches de pain en une seule couche sur une plaque à biscuits et en badigeonner la surface avec du beurre fondu. Cuire environ 7 min jusqu'à ce que les crostinis deviennent brun doré. Laisser tiédir et réserver.

ÉCHALOTES

• Dans une petite casserole, verser de l'huile d'arachide jusqu'à une hauteur d'environ 5 cm (2 po) et chauffer à 160 °C (325 °F). Y verser les échalotes et les faire frire jusqu'à ce qu'elles prennent une couleur brun doré. À l'aide d'une écumoire en métal, les transférer sur 4 épaisseurs de papier absorbant. Pour de meilleurs résultats, saler et poivrer légèrement dès que les échalotes sortent de la friture.

POUR SERVIR

• Étaler une tranche de saumon sur chaque crostini. Déposer 1 petite c. à café (1 c. à thé) de mascarpone au centre de chaque rondelle de pain. Terminer par la roquette et garnir avec les échalotes frites.

Asperges en turbans de saumon fumé avec graines de sésame noires

6 portions

- Gros sel
- 18 grosses pointes d'asperges, extrémités coupées pour donner des tiges uniformes d'environ 12 cm (5 po), tiges pelées
- 18 tranches de saumon fumé
- 1 c. à soupe de graines de sésame noires

Une recette santé qui remplace agréablement le sempiternel prosciutto. Ce plat printanier se mange avec les doigts. Choisissez donc des asperges fermes qui ne plieront et ne casseront pas. Pelez les tiges au couteau économe.

ASPERGES

• À feu vif, porter une grande casserole d'eau à ébullition. Saler l'eau puis y jeter les asperges. Cuire environ 3 min. Elles doivent ressortir fermes et tendres. Les tremper aussitôt 5 min dans de l'eau glacée pour arrêter la cuisson. Les égoutter et les sécher soigneusement sur du papier absorbant.

POINTES D'ASPERGES

• Envelopper chaque pointe dans une tranche de saumon en ayant soin de laisser dépasser le bout. Parsemer une assiette plate de graines de sésame noires et rouler dedans chaque tige enrobée de saumon pour en couvrir ce dernier partiellement.

POUR SERVIR

• Pour un contraste visuel intéressant, disposer les pointes d'asperges en turban sur un plateau argenté.

Saumon fumé et petits sandwiches au concombre

Choisissez un pain à sandwich de qualité, finement tranché et de texture assez dense. Vous aurez soin de conserver la fine peau du concombre anglais pour sa couleur.

- Disposer les tranches de pain sur une planche à découper et les beurrer. Disposer les tranches de saumon de manière à recouvrir complètement les tranches beurrées. Égaliser les croûtes et le saumon qui dépasseraient et créer ainsi des angles bien nets. Couper chaque carré en 4 triangles et disposer sur chacun d'eux une tranche de concombre.

POUR SERVIR

- Placer une petite quantité d'œufs de saumon au centre de chaque concombre et décorer avec un brin d'aneth.

CONSEIL DU CHEF

- Les petits-fours au saumon fumé sont une variante de ces sandwiches servis pour le thé. Ils sont parfaits pour une soirée d'échanges de cadeaux avant un mariage ou pour une réception. Décorer avec des fleurs comestibles non traitées, telles que violettes, soucis ou herbes en fleurs.

- Assembler tous les ingrédients qui ont servi à la confection des petits sandwiches mais augmenter le nombre de tranches de pain à 12, le beurre à 6 c. à soupe, le saumon fumé à 360 g (¾ lb) et le demi-concombre à un concombre entier. Préparer les sandwiches tel qu'indiqué jusqu'au moment où les tranches de saumon doivent être disposées sur 6 tranches de pain.

INGRÉDIENTS

- 6 fines tranches de pain blanc à sandwich
- 3 c. à soupe de beurre non salé, à température ambiante
- 180 g (6 oz) de saumon fumé en tranches
- ½ concombre anglais, coupé en 24 tranches fines
- 60 g (2 oz) d'œufs de saumon
- 6 brins d'aneth frais

Brochettes de saumon fumé au tzatziki

INGRÉDIENTS

TREMPETTE AU TZATZIKI

- 1 gros concombre anglais pelé, épépiné au besoin et coupé en deux dans le sens de la longueur
- Gros sel
- 250 ml (1 tasse) de yogourt nature libanais
- 1 botte d'aneth frais, finement hachée
- 2 brins de menthe fraîche, finement hachés
- 1 c. à café (1 c. à thé) d'ail haché
- Jus d'un demi-citron
- Poivre du moulin

- 18 tranches de saumon fumé
- 1 gros brin d'aneth frais

PRÉPARATION

Vous pouvez au besoin remplacer le yogourt libanais de la recette par un mélange composé moitié-moitié de yogourt nature bio et de crème sure bio. Le concombre mis à dégorger dans du sel donnera une sauce plus épaisse et plus crémeuse.

TREMPETTE AU TZATZIKI

• Trancher le concombre à l'aide d'un robot de cuisine muni du disque à trancher ou d'une râpe à gros trous. Saupoudrer généreusement de sel puis mettre dans un tamis au-dessus d'un bol. Laisser dégorger au moins 30 min.

• Bien rincer le concombre sous l'eau froide pour le débarrasser de l'excédent de sel. Envelopper le concombre dans un linge propre qui ne fait pas de peluches et le tordre pour en expulser toute l'humidité. Placer le concombre dans un bol, y ajouter les ingrédients restants de la sauce incluant le poivre au goût et bien mélanger. Goûter et rectifier l'assaisonnement. Laisser reposer au moins 15 min avant de servir.

POUR SERVIR

• Préparer 18 brochettes en bambou, mesurant chacune 20 cm (8 po) de long. Embrocher 1 tranche de saumon sur chaque brochette. Verser la sauce à trempette dans un petit bol et décorer avec le brin d'aneth. Disposer le bol sur un plateau assez grand pour contenir les brochettes de saumon.

INGRÉDIENTS

- 1 concombre anglais

TARTARE DE SAUMON FUMÉ ÉPICÉ
- 120 g (¼ lb) de saumon fumé en tranches
- 1 bouquet de coriandre fraîche
- 1 échalote finement coupée en dés
- 1 gros piment jalapeño, haché
- 1 c. à café (1 c. à thé) de pâte à chili asiatique avec de l'ail
- Jus d'un demi-citron vert
- 2 c. à soupe d'huile extravierge
- Gros sel et poivre du moulin

PRÉPARATION

L'outil idéal pour hacher le saumon à la perfection est un batteur fixe muni d'un accessoire pour hacher les aliments. Il existe de la pâte de chili plus ou moins forte. Choisissez celle qui vous convient et ajoutez la quantité que vous désirez.

- Couper les extrémités du concombre. Piquer la peau avec une fourchette pour dessiner un motif attrayant ou peler de façon décorative à l'aide d'un couteau de cuisine. Couper le concombre en tranches de 1,25 cm (½ po) d'épaisseur. On doit obtenir 18 morceaux.

TARTARE DE SAUMON FUMÉ ÉPICÉ

- Couper les tranches de saumon en cubes de 2,5 cm (1 po). Ajuster le hachoir au batteur en plaçant le disque fin et hacher le saumon. (Vous pouvez aussi hacher le saumon à la main en faisant de petits dés à l'aide d'un couteau aiguisé et d'une planche à découper.) Prélever 18 belles feuilles de coriandre pour la décoration et ciseler le restant.

- Dans un bol, mélanger le saumon et la coriandre hachée avec les ingrédients du tartare non utilisés, à l'exception du sel et du poivre. À l'aide d'une grande fourchette, mélanger juste assez. Goûter et rectifier l'assaisonnement en ajoutant du poivre, du sel et de la pâte de chili au besoin. Couvrir et réfrigérer au moins 1 h avant d'assembler.

POUR SERVIR

- À l'aide d'une cuillère parisienne, enlever les graines et la partie molle de chaque rondelle de concombre. Former un creux bien rond en laissant une base solide. Déposer 1 c. à café (1 c. à thé) du mélange de tartare dans chaque tasse et décorer avec les feuilles de coriandre réservées. Disposer de façon attrayante sur un plat de service.

Coupelles de maïs au saumon fumé avec salsa à la mangue

6 portions

On peut trouver des coupelles de maïs dans le commerce. Mettez-les au four jusqu'à ce qu'elles soient croustillantes. Vous pouvez aussi les remplacer par de grosses chips de maïs nature.

SAUMON FUMÉ ET SALSA À LA MANGUE

• Réserver 18 belles feuilles de coriandre pour la décoration et hacher les feuilles restantes. Placer la coriandre hachée dans un bol avec le saumon, l'avocat, la tomate, l'oignon, la mangue, les piments et le jus du citron vert. Incorporer soigneusement les ingrédients à l'aide d'une spatule en caoutchouc. Ajouter l'huile d'olive, saler et poivrer au goût, incorporer délicatement à nouveau et recommencer à mélanger les ingrédients avec soin.

POUR SERVIR

• Remplir chaque coupelle d'une cuillerée à soupe de salsa. Les décorer avec les feuilles de coriandre réservées.

SAUMON FUMÉ ET SALSA À LA MANGUE

- ½ botte de coriandre fraîche
- 1 morceau de saumon fumé de 120 g (4 oz), coupé en dés de 6 mm (¼ po)
- 1 avocat mûr coupé en deux, dénoyauté, pelé et coupé en dés de 6 mm (¼ po) (p. 12)
- 50 g (¼ tasse) de tomate mûrie sur pied coupée en dés
- 2 c. à soupe d'oignon rouge coupé en petits dés
- 1 grosse mangue mûre coupée en dés de 6 mm (¼ po)
- 2 piments jalapeños émincés
- Jus d'un citron vert
- 2 c. à soupe d'huile d'olive extravierge
- Gros sel et poivre du moulin

- 18 coupelles de maïs achetées toutes faites, cuites selon les instructions du paquet

Pommes de terre grelots au saumon fumé avec beurre de raifort et tobiko

INGRÉDIENTS

- 18 pommes de terre grelots de 2,5 à 4 cm (1 à 1 ½ po) de diamètre
- 1 c. à café (1 c. à thé) de gros sel

BEURRE DE SAUMON FUMÉ AU RAIFORT
- 60 g (2 oz) de saumon fumé coupé en tranches
- 4 c. à soupe de beurre non salé
- 2 c. à soupe de raifort blanc préparé
- 1 c. à café (1 c. à thé) de poivre du moulin
- Gros sel

- 60 g (2 oz) de tobiko aromatisé au wasabi

PRÉPARATION

Le tobiko (ou tampiko) est le nom donné aux œufs de poisson volant. On s'en sert souvent pour décorer les sushis. Dans cette recette, on ajoutera au tobiko du wasabi (raifort japonais) pour sa saveur et sa jolie couleur verte.

• Placer les pommes de terre dans une casserole, les recouvrir d'eau froide et ajouter le sel. Porter à ébullition à feu vif, puis faire mijoter et laisser cuire environ 15 min à découvert jusqu'à ce qu'une fourchette les transperce. Bien égoutter et réserver.

BEURRE DE SAUMON FUMÉ AU RAIFORT

• Dans un robot culinaire, combiner le saumon fumé, le beurre, le raifort et le poivre. Quand le mélange a une consistance homogène, en remplir une poche à décorer munie d'un embout en forme d'étoile moyenne.

POUR SERVIR

• Préchauffer le four à 180 °C (350 °F). Disposer les pommes de terre sur une plaque à biscuits et mettre au four 7 à 10 min jusqu'à ce que les pommes de terre soient bien réchauffées. Faire une fente sur le dessus de chaque pomme de terre comme s'il s'agissait d'une grosse pomme de terre au four. Avec la poche à décorer, déposer une rosette de beurre de saumon dans chaque fente. Décorer avec le tobiko et servir.

Galettes croustillantes au saumon fumé, crème à l'oignon doux

6 portions

En préparant la crème, vous aurez soin de laisser tiédir les oignons avant de les incorporer à la crème fraîche: les oignons chauds la décomposeraient.

CRÈME À L'OIGNON DOUX

• Dans une petite sauteuse, faire fondre le beurre à température très basse. Ajouter l'oignon et cuire environ 10 min jusqu'à ce qu'il soit «fondu» (p. 14).

• Égoutter l'oignon dans un tamis placé au-dessus d'un bol (réserver ce beurre d'oignon à un autre usage) et laisser l'oignon refroidir à température ambiante. Dans un petit bol, mélanger l'oignon refroidi à la crème fraîche. Saler et poivrer légèrement et réserver en attendant que les galettes de pomme de terre soient prêtes.

CRÈME À L'OIGNON DOUX

• 2 c. à soupe de beurre non salé
• 80 ml (⅓ tasse) d'oignons doux coupés en petits dés
• 125 ml (½ tasse) de crème fraîche (p. 15)
• Gros sel et poivre du moulin

- 2 pommes de terre Yukon Gold de 480 à 720 g (1 à 1 ½ lb), pelées et coupées en huit
- Gros sel et poivre du moulin
- Huile d'arachide pour la friture
- 12 tranches de saumon fumé
- Ciboulette fraîche émincée ou œufs de saumon (facultatif)

LATKES

• Râper les pommes de terre avec un robot de cuisine muni du disque à râper ou à l'aide d'une râpe à gros trous. Placer les pommes de terre dans un tamis et les rincer légèrement sous l'eau froide pour les débarrasser d'une partie de leur amidon. Envelopper les pommes de terre dans un linge à vaisselle propre et sans peluche et le tordre pour enlever le plus possible d'humidité. (Le fait de rincer l'amidon empêche les pommes de terre crues de brunir à la cuisson et donne des latkes plus croustillants.) Transférer dans un bol propre, saler et poivrer.

• Verser de l'huile d'arachide à hauteur de 3 mm (⅛ po) dans une grande sauteuse et faire chauffer à feu moyen jusqu'à ce que l'huile soit chaude sans fumer. En travaillant en plusieurs fois, former chaque gâteau en déposant soigneusement 1 grosse c. à soupe du mélange de pomme de terre dans l'huile à friture. Avec le dos de la cuillère, appuyer légèrement pour former un rond plat d'environ 4 cm (1 ½ po) de diamètre, d'une épaisseur de 6 mm (¼ po). Faire sauter les latkes jusqu'à ce qu'ils soient dorés de chaque côté, au total de 4 à 5 min. À l'aide d'une écumoire, transférer sur une feuille de papier absorbant pour égoutter rapidement. On doit obtenir un total de 12 galettes de pomme de terre (soit 2 par personne).

POUR SERVIR

• Faire des «rosettes» avec les tranches de saumon fumé (p. 15) et en déposer une sur chaque galette de pomme de terre. Garnir d'une bonne cuillerée de crème à l'oignon doux et terminer avec la ciboulette ou les œufs de saumon, au goût.

Tostada de saumon fumé poêlée à la sauce tomate et à la crème fraîche au cumin

6 portions

Vous pouvez réfrigérer les piments restants et les utiliser avec du porc braisé ou pour réveiller votre ragoût préféré. Assurez-vous de saler les tostadas dès que vous les sortez du bain de friture.

TOSTADAS

• Verser dans une casserole épaisse l'équivalent de 2,5 cm (1 po) d'huile d'arachide et faire chauffer à 180 °C (350 °F). À l'aide d'un couteau tranchant, découper chaque tostada en 6 triangles ou en 6 ronds avec un emporte-pièce de 8 cm (2 ½ po). En travaillant par petites quantités, faire frire environ 2 min les morceaux de tortilla jusqu'à ce qu'ils soient bien croustillants. À l'aide d'une écumoire en métal ou d'un tamis, les transférer sur une plaque à biscuits recouverte d'un papier absorbant. Les saler légèrement alors qu'elles sont encore très chaudes.

SAUCE TOMATE POÊLÉE

• Dans une sauteuse, faire fondre le beurre à petit feu. Ajouter les oignons et faire cuire 10 min environ jusqu'à ce qu'ils soient «fondus» (p. 15). À feu moyen, ajouter les piments jalapeños. Laisser cuire environ 5 min, le temps que les piments soient tendres. Ajouter l'ail et les piments chipotle et laisser cuire en remuant constamment pendant 2 à 3 min pour permettre aux arômes de se marier. Ajouter les tomates et poursuivre la cuisson en remuant de temps en temps jusqu'à ce que les tomates soient pratiquement sèches, soit 10 min environ de plus. Enlever du feu. Réserver 18 belles feuilles de coriandre pour la décoration et ciseler le restant. Ajouter la coriandre ciselée à la sauce et remuer pour mélanger. Saler et poivrer au goût.

TOSTADAS

- Huile d'arachide pour la friture
- 3 tortillas de 20 cm (8 po) de diamètre
- Gros sel

SAUCE TOMATE POÊLÉE

- 2 c. à soupe de beurre non salé
- 50 g (¼ tasse) d'oignons doux coupés en dés
- 2 piments jalapeños hachés fin
- 2 gousses d'ail émincées
- 2 c. à café (2 c. à thé) de piments chipotle en conserve hachés finement
- 200 g (1 tasse) de tomates mûries sur pied
- 1 bouquet de coriandre fraîche
- Gros sel et poivre du moulin

CRÈME FRAÎCHE AU CUMIN

- 6 c. à soupe de crème fraîche (p. 13)
- 1 c. à café (1 c. à thé) de graines de cumin moulues et grillées (p. 15)
- 2 c. à café (2 c. à thé) de jus de citron vert
- Gros sel et poivre du moulin

- 18 tranches de saumon fumé

CRÈME FRAÎCHE AU CUMIN

• Dans un petit bol, mélanger la crème fraîche, le cumin et le jus de citron vert. Saler et poivrer au goût et fouetter jusqu'à ce que la crème soit ferme.

POUR SERVIR

• Déposer environ 1 c. à café (1 c. à thé) de sauce tomate sur chaque tostada. Confectionner des «rosettes» avec les tranches de saumon fumé (p. 15) et en placer une sur chaque tostada. Terminer par 1 c. à café (1 c. à thé) de crème fraîche et garnir d'une feuille de coriandre.

Napoléons de saumon fumé à la crème fraîche, à la ciboulette et au caviar

6 portions

Le fait de mettre des poids sur la pâte feuilletée pendant la cuisson, comme c'est le cas dans cette recette, la rend légère et croustillante et elle fond littéralement dans la bouche.

PÂTE FEUILLETÉE

• Préchauffer le four à 180 °C (350 °F). Recouvrir une plaque à biscuits de papier sulfurisé. Découper un quart de la pâte feuilletée et la placer au congélateur pour un autre usage. Sur une surface farinée, rouler la pâte feuilletée pour qu'elle fasse environ 3 mm (⅛ po) d'épaisseur. À l'aide d'un emporte-pièce rond cannelé de 3 cm (1 ¼ po), découper 18 ronds de pâte. Les badigeonner d'une petite quantité de beurre fondu, et saler et poivrer légèrement. Disposer les ronds obtenus sur la plaque à biscuits. Recouvrir d'une seconde feuille de papier sulfurisé et placer dessus une seconde plaque. Placer des poids sur la plaque du dessus à l'aide d'un moule à tarte rempli de haricots secs.

• Faire cuire la pâte feuilletée jusqu'à ce qu'elle soit d'un beau brun doré, soit environ 15 min. Retirer les poids et le papier sulfurisé du dessus et les laisser refroidir sur une plaque.

CRÈME FRAÎCHE À LA CIBOULETTE

• Pendant que la pâte feuilletée est au four, fouetter la crème fraîche dans un bol qui doit former des pics moyens. Saler et poivrer. Incorporer la ciboulette, couvrir et mettre au réfrigérateur.

POUR SERVIR

• Couper chaque tranche de saumon en deux et plier chaque moitié pour former un paquet de 2,5 cm (1 po). Placer ce paquet de saumon sur chaque rond de pâte. Déposer à la cuillère ou à la poche à décorer une bonne cuillerée de crème fraîche sur chaque canapé et garnir d'une bonne cuillerée de caviar sevruga. Disposer sur un plat de service et servir.

INGRÉDIENTS

• 1 pâton de 240 g (8 oz) de pâte feuilletée achetée dans le commerce, mesurant 23 x 24 cm (9 x 9 ½ po), décongelée
• 2 c. à café (2 c. à thé) de beurre non salé fondu
• Gros sel et poivre du moulin

CRÈME FRAÎCHE À LA CIBOULETTE
• 125 ml (½ tasse) de crème fraîche (p. 13)
• Gros sel et poivre du moulin
• 1 botte de ciboulette fraîche ciselée

• 9 larges tranches de saumon fumé
• 60 g (2 oz) ou plus de caviar sevruga

Rouleaux de maki au saumon fumé avec concombre et fromage à la crème au wasabi

Les sushi-makis sont des rouleaux de sushi au riz «encastrés» dans une feuille d'algue, avec une garniture d'avocat ou de thon, coupés et servis sous forme de petits cylindres. On retrouve, dans cette adaptation de la recette traditionnelle, divers ingrédients japonais comme le wasabi (genre de raifort), le nori (algue), le gingembre mariné et du riz à haute teneur en amidon.

RIZ À SUSHI

• Dans une casserole, mélanger le riz et l'eau et laisser tremper 30 min. Faire chauffer à feu vif et porter à ébullition. Couvrir, régler le feu à moyen et laisser cuire 8 à 12 min, le temps que le riz ait absorbé la quasi-totalité de l'eau. Réduire le feu au plus bas et cuire 5 min de plus pour que l'eau soit complètement absorbée tout en laissant le riz humide. Hors du feu, incorporer en mélangeant le vinaigre et laisser refroidir complètement avant de servir.

FROMAGE À LA CRÈME AU WASABI

• Verser la poudre de wasabi dans un très petit bol. Y ajouter quelques gouttes d'eau en humectant à peine la poudre. Laisser reposer 5 min. Dans un bol de taille moyenne, à l'aide d'une cuiller en bois, mélanger bien le fromage à la crème, la pâte de wasabi et la sauce soja, jusqu'à l'obtention d'un mélange homogène.

POUR ASSEMBLER

• Déposer une feuille de nori sur un tapis à rouler les sushis. Couvrir les trois quarts des nori de 6 mm (¼ po) de riz, en prenant soin de laisser le dernier 2,5 cm (1 po) à découvert. À l'aide d'une spatule à glacer en métal ou en caoutchouc, étendre 1 ou 2 c. à soupe de fromage à la crème au wasabi dans une bande horizontale d'une largeur de 1,25 cm (½ po) le long du centre du riz. Couvrir le wasabi avec un tiers des bandes de saumon fumé. Placer un tiers du concombre, de

PRÉPARATION

INGRÉDIENTS

- 400 g (2 tasses) de riz à grains courts
- 625 ml (2 ½ tasses) d'eau
- 2 c. à soupe de vinaigre de riz à sushi (légèrement sucré)

FROMAGE À LA CRÈME AU WASABI

- 1 c. à soupe de poudre de wasabi
- 120 g (4 oz) de fromage à la crème à température ambiante
- 1 c. à soupe de sauce soja extraforte

- 3 feuilles de nori
- 120 g ('/₄ lb) de saumon fumé coupé
  en julienne
- ½ concombre anglais, pelé, coupé
  en deux, épépiné et coupé en julienne
- 1 avocat coupé en deux, dénoyauté, pelé
  et coupé dans le sens de la longueur
  en tranches de 6 mm ('/₄ po) d'épaisseur
  (p. 12)
- 2 oignons verts (partie blanche seulement),
  coupés en biais en tranches de 1,5 cm
  (³/₄ po) d'épaisseur
- 1 c. à soupe de graines de sésame,
  légèrement grillées (p. 15)
- Pâte wasabi pour le service (facultatif)
- Gingembre mariné pour le service
  (facultatif)
- Sauce soja pour le service (facultatif)

l'avocat et des oignons verts le long du saumon et, avec les doigts, pincer les garnitures ensemble de façon qu'elles forment un centre serré à l'intérieur du riz lorsqu'il est roulé. (Plus les ingrédients de la garniture sont serrés, meilleur sera le résultat.) Humecter le côté exposé des nori avec quelques gouttes d'eau et, à l'aide du tapis, rouler pour former un cylindre. Retirer le tapis. À l'aide d'un couteau bien aiguisé, égaliser les extrémités, en coupant environ 6 mm (¼ po) de chaque extrémité. Couper le cylindre en 6 morceaux égaux. Répéter l'opération avec les 2 feuilles de nori, le riz et les garnitures qui restent.

POUR SERVIR

- Saupoudrer les côtés qui ressortent avec des graines de sésame et les placer sur un plateau en bois laqué ou un autre plat d'inspiration japonaise. Servir avec la pâte de wasabi, le gingembre mariné et la sauce soja au goût.

ENTRÉES

Gaspacho au saumon fumé, à l'avocat et à l'huile de coriandre

HUILE DE CORIANDRE

- 1 grosse botte de coriandre fraîche
- Gros sel
- 125 ml ('/₂ tasse) d'huile d'olive extravierge

- 1 avocat mûr coupé en deux, dénoyauté, pelé et coupé en dés de 6 mm ('/₄ po) (p. 12)
- 3 grosses tomates mûries sur pied, épépinées et débitées en dés de 6 mm ('/₄ po)
- 500 ml (2 tasses) de jus de légumes ou de jus de tomates
- 1 concombre anglais pelé, coupé en deux, épépiné et débité en dés de 6 mm ('/₄ po)
- 2 petits piments jalapeños émincés
- 1 botte d'oignons verts, partie blanche seulement, coupés en tranches de 3 mm ('/₈ po)
- Jus de 2 citrons verts
- 1 c. à café (1 c. à thé) de graines de cumin fraîchement moulues et rôties (p. 15)
- 125 ml ('/₂ tasse) d'huile d'olive extravierge
- Gros sel et poivre du moulin
- 1 morceau de saumon de 240 g ('/₂ lb) coupé en dés de 6 mm ('/₄ po)

Avec cette recette, il vous restera une bonne quantité d'huile de coriandre que vous pourrez vaporiser sur un bifteck de flanc, une poitrine de poulet ou une purée de pommes de terre.

HUILE DE CORIANDRE

- Réserver 6 belles tiges de coriandre pour la décoration. Effeuiller les tiges restantes. Porter à ébullition une petite casserole d'eau légèrement salée. Ajouter les feuilles de coriandre et les blanchir pendant 2 à 3 min. Bien égoutter les feuilles et les transférer immédiatement dans un mélangeur. Ajouter l'huile d'olive et réduire en purée jusqu'à ce que le mélange soit lisse. Verser l'huile ainsi obtenue dans un petit bol et laisser reposer 1 h.

SOUPE

- Dans un grand bol, combiner tous les ingrédients restant, à l'exception du sel, du poivre et du saumon fumé. Bien mélanger, saler et poivrer suffisamment étant donné que le potage se sert froid. Couvrir et mettre au réfrigérateur au moins 1 h.

POUR SERVIR

- Goûter et rectifier l'assaisonnement au besoin. Avec une louche, verser la soupe dans 6 bols réfrigérés. Répartir de façon égale le saumon dans les bols. Mélanger l'huile de coriandre pour la reconstituer et en déposer 1 c. à café (1 c. à thé) sur chaque portion. Décorer avec une tige de coriandre.

Vichyssoise au saumon fumé avec œufs de saumon et cerfeuil

La qualité de cette recette toute simple dépend de celle de ses ingrédients. Si vous n'avez pas de Yukon Gold, choisissez des pommes de terre blanches à bouillir qui ont une teneur moyenne en amidon.

POIREAUX

• Couper et jeter les extrémités vertes des poireaux (ou les conserver pour le bouillon). Fendre les blancs en deux dans le sens de la longueur puis couper en biais en tranches de 6 mm (¼ po), immerger les tranches ainsi obtenues dans un grand bol d'eau chaude et laisser tremper 10 min. Les soulever délicatement à l'aide d'une écumoire pour ne pas déranger la terre qui s'est déposée au fond et les immerger dans un second bol rempli d'eau chaude. Laisser tremper 10 min de plus. Répéter l'opération jusqu'à ce que l'eau de trempage soit propre puis sortir les poireaux de l'eau et les égoutter dans une passoire.

SOUPE

• Dans une marmite, faire fondre le beurre à feu doux. Ajouter les poireaux et laisser cuire environ 10 min en remuant de temps à autre. Les poireaux doivent être tendres. À feu moyen, ajouter les tranches de pommes de terre et poursuivre la cuisson en remuant encore 5 min. Ajouter le bouillon de poulet et laisser mijoter à découvert jusqu'à ce que les pommes de terre soient tendres, soit environ 20 min de plus.

• Dans un mélangeur, réduire en purée les trois quarts de la soupe. Ajouter la crème et mélanger jusqu'à l'obtention d'une consistance homogène. Verser la soupe en purée dans un grand bol et laisser refroidir. Ajouter la soupe non mixée. Bien mélanger. Saler et poivrer au goût. (Il faut bien assaisonner étant donné que la soupe sera servie froide.) Couvrir et réfrigérer au moins 1 h. (Pour aller plus vite, mettre la soupe dans un contenant plus large. Comme une plus grande surface sera exposée, le refroidissement se fera plus rapidement.)

POUR SERVIR

• Réserver 6 beaux brins de cerfeuil pour la garniture. Effeuiller et ciseler le reste puis ajouter à la soupe en mélangeant bien le tout. À l'aide d'une louche, verser la soupe dans des bols larges et peu profonds. Répartir au centre de chaque bol une quantité égale du saumon coupé en julienne. Garnir avec une bonne cuillerée d'œufs de saumon et une branche de cerfeuil.

- 1 gros poireau ou 2 petits
- 3 c. à soupe de beurre non salé
- 480 g (1 lb) de pommes de terre pelées et finement tranchées
- 1 litre (4 tasses) de bouillon de poulet maison ou du bouillon en conserve léger, peu salé
- 250 ml (1 tasse) de crème épaisse
- Gros sel et poivre du moulin
- 1 bouquet de cerfeuil frais
- 120 g (¼ lb) de saumon fumé coupé en julienne
- 60 g (2 oz) d'œufs de saumon

Assiette de saumon fumé classique
à la façon de Max

Du pain blanc traditionnel de texture dense peut remplacer la brioche au besoin. Je vous recommande d'utiliser une passoire sur pied en forme de tambour à fines mèches métalliques pour égoutter les œufs, mais n'importe quel tamis fin fera l'affaire.

ŒUFS

• Placer les œufs dans une petite casserole, les recouvrir d'eau froide et ajouter une généreuse pincée de sel. Porter à ébullition sur feu moyen-élevé puis faire mijoter l'eau et compter 8 min à partir du point d'ébullition. Égoutter les œufs, les passer sous l'eau glacée. Lorsqu'ils sont tièdes, les écailler et les couper en deux dans le sens de la longueur. Séparer les blancs des jaunes, et les passer séparément dans un tamis fin. Réserver dans des petits bols séparés.

• Envelopper le persil ciselé dans de la toile à fromage ou dans un linge à vaisselle qui ne peluche pas. Passer sous l'eau froide puis tordre en pressant la boule de torchon mouillé et le persil jusqu'à ce qu'ils soient aussi secs que possible. Réserver.

BEURRE À LA CIBOULETTE

• Dans un robot de cuisine, combiner le beurre, la ciboulette, le jus de citron, le sel et le poivre. Une fois la ciboulette également distribuée, verser le mélange dans une poche à décorer munie d'un embout moyen en forme d'étoile. Former 6 rosettes, mesurant chacune environ 4 cm (1 ½ po) de diamètre, sur une assiette recouverte de papier ciré ou sulfurisé. Couvrir et réfrigérer. Enlever 10 à 15 min avant le service pour amollir le beurre.

• Préchauffer le four à 180 °C (350 °F). Placer les triangles de brioche sur une plaque à biscuits et les rôtir légèrement, en les retournant une fois, jusqu'à ce qu'ils soient d'un beau brun doré, soit 4 min environ pour chaque côté.

- 3 gros œufs
- Gros sel
- 1 bouquet de persil plat finement ciselé

BEURRE DE CIBOULETTE
- 8 c. à soupe de beurre non salé à température ambiante
- 1 botte de ciboulette fraîche, finement hachée
- 1 c. à café (1 c. à thé) de jus de citron fraîchement pressé
- ½ c. à café (½ c. à thé) de gros sel
- ½ c. à café (½ c. à thé) de poivre du moulin

- 12 tranches de brioche coupées en triangles
- Huile d'arachide pour la friture
- 100 g (½ tasse) de câpres bien égouttées
- 480 g (1 lb) de saumon fumé coupé en tranches
- 1 gros oignon doux coupé en petits dés

CÂPRES

• Dans une petite casserole, verser l'équivalent de 5 cm (2 po) d'huile d'arachide et chauffer jusqu'à 180 °C (350 °F). Placer les câpres dans un petit tamis en métal et les plonger dans l'huile très chaude. Les faire frire 3 à 5 min jusqu'à ce qu'elles cessent de grésiller. Les retirer et bien les égoutter sur du papier absorbant.

FINITION

• Couvrir les centres de six assiettes de 22 à 25 cm (9 à 10 po) de saumon fumé, en déposant 3 ou 4 tranches dans chaque assiette. Disposer une rosette de beurre au centre du saumon sur chaque assiette. À l'aide d'une petite cuillère, former des piles bien nettes des garnitures – oignon, persil, blanc et jaune d'œuf tout autour du beurre pour créer un motif original. Disposer les pointes de brioche grillée tout autour du bord de chaque assiette. Parsemer le saumon de câpres frites.

Carpaccio de saumon fumé avec roquette, parmesan et huile à la ciboulette

Les huiles aux herbes sont faciles à faire et ajoutent un parfum et une touche finale à de nombreuses recettes. Utilisez l'huile qui reste sur du poulet ou du poisson grillés, ou ajouter à un plat de pâtes.

HUILE À LA CIBOULETTE

• Porter une petite casserole d'eau à ébullition. Ajouter les brins de ciboulette et laisser cuire 3 à 5 min. Bien les égoutter et les transférer immédiatement dans un mélangeur. Ajouter de l'huile d'olive et réduire en purée jusqu'à obtenir une consistance lisse et très verte, au moins 5 min. Verser l'huile dans un petit bol et laisser reposer 1 h.

HUILE DE CITRON

• Dans un petit bol, fouetter le jus de citron et l'huile d'olive. Saler et poivrer au goût.

FINITION

• Couvrir les centres de 6 assiettes de parts égales de saumon. Dans un bol, remuer la roquette avec l'huile de citron. Placer la roquette sur le saumon en la divisant en parties égales et en dressant un monticule élevé au centre de chaque assiette. Répartir artistiquement les copeaux de parmesan sur la salade, remuer l'huile à la ciboulette pour la reconstituer et verser 1 c. à café (1 c. à thé) au sommet de chaque portion.

PRÉPARATION

INGRÉDIENTS

HUILE À LA CIBOULETTE
• 1 botte de ciboulette fraîche, coupée en morceaux de 1,25 cm (½ po)
• 125 ml (½ tasse) d'huile d'olive extravierge

HUILE DE CITRON
• 1 c. à soupe de jus de citron fraîchement pressé
• 60 ml (¼ tasse) d'huile d'olive extravierge
• Gros sel et poivre du moulin

• 480 g (1 lb) de saumon fumé en tranches
• 180 g (6 oz) de jeune roquette ou 2 grosses bottes de roquette à maturité, dont on aura enlevé les tiges dures
• 12 copeaux de parmesan frais râpé (prélevés au couteau économe)

Saumon fumé au céleri-rave et chips de focaccia

INGRÉDIENTS PRÉPARATION

INGRÉDIENTS

CÉLERI RÉMOULADE

- 125 ml ('/₂ tasse) de mayonnaise (p. 14)
- 1 c. à soupe de moutarde de Dijon
- Jus d'un demi-citron
- 1 c. à café (1 c. à thé) de sucre brun
- 1 c. à café (1 c. à thé) de graines de carvi, rôties et moulues (p. 15)
- Gros sel et poivre du moulin
- 1 gros céleri-rave, pelé et râpé (de préférence dans un robot de cuisine en utilisant la râpe ou la lame à déchiqueter) ou coupé en julienne à l'aide d'une mandoline
- '/₂ bouquet de persil plat frais et grossièrement haché

- 1 morceau de focaccia de 15 x 15 cm (6 x 6 po), coupé en très fines lanières (donne 18 morceaux)
- Huile d'olive extravierge pour badigeonner la focaccia

- Gros sel et poivre du moulin
- 480 g (1 lb) de saumon fumé coupé en tranches
- 6 feuilles tendres prélevées au centre d'une botte de céleri

PRÉPARATION

Si le céleri-rave n'est pas disponible, remplacez-le par de la salade de chou. Cela donnera à la recette un petit air « délicatessen ».

CÉLERI RÉMOULADE

- Dans un grand bol, combiner la mayonnaise, la moutarde, le jus de citron, le sucre brun et le carvi. Bien mélanger. Saler et poivrer au goût. Ajouter le céleri-rave et le persil et bien mélanger. Couvrir et réfrigérer pendant 30 min.

CHIPS DE FOCACCIA

- Préchauffer le four à 180 °C (350 °F). Déposer des bandes de focaccia sur une plaque à biscuits, en badigeonner les extrémités avec une huile d'olive d'excellente qualité. Saler et poivrer légèrement. Cuire jusqu'à ce que la focaccia soit complètement sèche (presque comme un craquelin), soit 10 à 15 min. Réserver.

FINITION

- Disposer le saumon sur 6 assiettes. Monter 65 g (⅓ tasse) de céleri rémoulade au centre de chaque assiette pour donner une certaine hauteur à la présentation. Disposer joliment 3 bandes de focaccia de chaque côté du céleri rémoulade pour former une structure en forme de tipi. Placer certaines des feuilles de céleri au centre de chaque monticule. Donner un tour de moulin à poivre délicatement au-dessus du bord extérieur (celui qui dépasse) du saumon.

Saumon fumé et caviar de poisson-spatule aux herbes et au fenouil

6 portions

Il s'agit des œufs du poisson-spatule, un cousin de l'esturgeon de la mer Caspienne.

• Recouvrir une planche à découper d'une feuille de pellicule plastique. Déposer un nombre suffisant de tranches de saumon fumé pour former un carré approximatif de 15 x 15 cm (6 x 6 po). (Utiliser 2 ou 3 tranches qui se chevauchent légèrement, tout en appuyant dessus avec une spatule.) Maintenir un emporte-pièce de 14 cm (5 ½ po) ou une boîte de conserve non ouverte du même diamètre au sommet du carré de saumon. D'une main, appuyer sur le cercle, de l'autre découper en suivant la forme avec un couteau aiguisé. Enlever le cercle ainsi formé et mettre de côté les déchets de saumon pour un autre usage (comme par exemple la Mousse de saumon fumé, p. 20). Disposer du papier sulfurisé sur le cercle de saumon fumé et retourner le cercle de papier sur une assiette. Répéter l'opération jusqu'à l'obtention de 6 cercles de saumon fumé. On peut les empiler dans une assiette en les séparant par du papier sulfurisé. Couvrir et réfrigérer jusqu'à l'emploi.

• Dans un bol, mélanger la crème fraîche, la moitié de l'échalote, la moitié des herbes, et ajouter au goût la fleur de sel et le poivre blanc. Fouetter jusqu'à obtenir des pics moyens. Dans un second bol, mélanger le fenouil, le reste des échalotes et des herbes, 1 c. à soupe d'huile d'olive, un filet de jus de citron, de la fleur de sel et du poivre blanc au goût. Dans un troisième bol, mélanger délicatement au caviar l'huile d'olive restante jusqu'à ce que toute l'huile soit incorporée en prenant bien soin de ne pas écraser les œufs.

INGRÉDIENTS

- 480 g (1 lb) de saumon fumé coupé en tranches
- 250 ml (1 tasse) de crème fraîche (p. 13)
- 2 c. à soupe d'échalotes, hachées finement
- 50 g (¼ tasse) de fines herbes fraîches variées (cerfeuil, estragon, persil plat, coriandre et aneth), grossièrement coupées en chiffonnade
- Fleur de sel et poivre blanc
- 1 bulbe de fenouil, coupé en tranches ultra-fines à l'aide d'une mandoline
- 2 c. à soupe d'huile d'olive française extravierge
- ½ citron
- 30 g (1 oz) de caviar de poisson-spatule
- 1 bouquet de ciboulette fraîche émincé

FINITION

• Disposer 6 assiettes bien froides de 23 cm (9 po). Au centre de chaque assiette, déposer une bonne cuillerée du mélange de crème fraîche. Former un cercle plat un peu plus petit que le saumon fumé. En déplaçant le saumon à l'aide de papier sulfurisé, placer un rond de saumon fumé sur la crème fraîche en pressant doucement. À l'aide d'une petite spatule ou d'un couteau, disposer une mince bande de caviar autour de chaque rond de saumon. Dans le dernier centre de chaque rond, déposer une quantité égale de fenouil et d'herbes. Parsemer les assiettes de ciboulette.

Ceviche de saumon fumé avec tomates rouges et jaunes en vinaigrette au citron vert

6 portions

Si vous ne trouvez pas de tomates de pays, remplacez-les par des tomates mûries en grappe disponibles au supermarché.

AVOCATS

• Couper chaque avocat en deux et enlever les noyaux avec le talon du couteau. (Une tape ferme au milieu du noyau facilite l'opération.) Marquer au couteau la chair de l'avocat en traçant un guillochis de 1 cm (⅜ po) et la déposer dans un petit bol. Presser la moitié du citron vert sur l'avocat et remuer légèrement. Couvrir et réserver.

VINAIGRETTE AU CITRON VERT

• Prélever 6 jolies feuilles de coriandre pour la décoration. Hacher finement le reste et déposer dans un bol avec tous les ingrédients qui restent, sans oublier de saler et poivrer au goût. Bien mélanger, couvrir et réfrigérer 1 h pour permettre aux saveurs de se marier.

FINITION

• Environ 20 min avant de servir, faire mariner le saumon dans la vinaigrette au citron vert. Goûter et rectifier l'assaisonnement en ajoutant sel, poivre et un filet de jus de citron vert au besoin. Servir à la cuillère dans 6 verres à martini et décorer avec les brins de coriandre prévus à cet effet.

- 2 avocats mûrs
- ½ citron vert

VINAIGRETTE AU CITRON VERT
- 1 bouquet de coriandre fraîche
- 2 piments jalapeños, épépinés, débarrassés de leur membrane et émincés
- Jus de 2 citrons verts
- 1 c. à café (1 c. à thé) de tabasco
- 1 c. à café (1 c. à thé) de purée d'ail rôti (p. 14)
- 60 ml (¼ tasse) d'huile d'olive extravierge
- 1 grosse tomate jaune mûrie sur pied, épépinée et débitée en cubes de 6 mm (¼ po)
- 1 grosse tomate rouge mûrie sur pied, épépinée et débitée en cubes de 6 mm (¼ po)
- Gros sel et poivre du moulin

- 120 g (¼ lb) de saumon fumé coupé en dés de 6 mm (¼ po)

Quesadillas de saumon fumé avec oignons fondus, haricots noirs en purée et fromage au jalapeño

PRÉPARATION INGRÉDIENTS

6 portions

Ces bouchées sont parfaites pour une réception.

PURÉE DE HARICOTS NOIRS

• Dans une casserole, verser tous les ingrédients à l'exception du sel et du poivre. Porter à ébullition sur feu élevé. Réduire le feu et laisser mijoter lentement à découvert jusqu'à ce que les haricots soient très tendres, environ 1 h 30. Si nécessaire, rajouter un peu de bouillon ou d'eau pour que les haricots restent recouverts pendant la cuisson. Retirer le jarret de jambon et la branche de thym. Égoutter les haricots en réservant le bouillon et placer le tout dans un robot de cuisine. Actionner jusqu'à ce que le mélange soit homogène en arrêtant de temps en temps pour racler les parois au besoin et en ajoutant du bouillon réservé pour faire une purée qui doit avoir la consistance de ketchup épais. Saler et poivrer au goût. Mettre dans une bouteille en plastique mou et réserver.

OIGNONS

• Pendant que les haricots cuisent, faire fondre le beurre dans une sauteuse à feu très bas. Y jeter les oignons et poursuivre la cuisson jusqu'à ce qu'ils soient «fondus» (p. 15), soit après 10 min environ. Passer dans un tamis placé au-dessus d'un bol et réserver le beurre et l'oignon séparément.

INGRÉDIENTS

HARICOTS NOIRS EN PURÉE

- 200 g (1 tasse) de haricots noirs, triés et rincés
- 1 jarret de jambon
- 750 ml (3 tasses) de bouillon de poulet maison ou de bouillon léger peu salé en conserve
- 1 gousse d'ail émincée
- 1 c. à café (1 c. à thé) de graines de cumin grillées et moulues (p. 15)
- 1 c. à café (1 c. à thé) de poudre de chili
- 1 branche de thym frais
- Gros sel et poivre du moulin

- 6 c. à soupe de beurre non salé
- 1 gros oignon doux coupé en petits dés
- 6 tortillas de 20 cm (8 po) de diamètre
- 100 g (½ tasse) de jack au jalapeño ou autre fromage aux piments
- 240 g (½ lb) de saumon fumé coupé en dés de 6 mm (¼ po)
- 6 c. à soupe de crème sure
- Feuilles d'une botte de coriandre fraîche

TORTILLAS

• Dans une sauteuse de 25 cm (10 po), faire chauffer 1 c. à soupe du beurre à l'oignon réservé. Ajouter les tortillas une à une et les faire brunir légèrement des deux côtés, en ajoutant du beurre si nécessaire. Une fois qu'elles sont prêtes, éponger les tortillas sur du papier absorbant pour enlever l'excès de beurre. Réserver.

ASSEMBLAGE

• Préchauffer le four à 180 °C (350 °F). Placer une seule couche de tortillas sur 2 plaques à biscuits. Saupoudrer un montant égal de fromage. Avec la bouteille en plastique contenant la purée de haricots, dessiner une étoile ou toute autre forme sur le fromage. Enfourner 5 min environ, le temps que les tortillas soient bien chaudes et que le fromage commence à fondre.

FINITION

• Sortir les quesadillas du four et les répartir immédiatement dans les assiettes et y disposer des portions égales de saumon fumé. Décorer avec l'oignon, la crème sure et les feuilles de coriandre.

Saumon fumé aux chips de bagel, sauce au fromage à la crème et huile aux oignons verts

Vous pouvez grignoter les restes des bagels et des tomates pendant que vous préparez la recette ou les réserver pour une autre occasion.

CHIPS DE BAGEL

• Réfrigérer les bagels toute la nuit pour qu'ils soient bien fermes. Le lendemain, les trancher soigneusement à l'aide d'une trancheuse (ou avec un couteau à pain bien aiguisé). Ils doivent être aussi fins que possible, sans se défaire. Chaque bagel donne 6 à 8 chips en tout, étant donné qu'on ne garde que les tranches entières. Dans une casserole à fond épais, verser l'équivalent de 8 cm (3 po) d'huile et chauffer à 150 °C (300 °F). Travailler en plusieurs fois, ajouter les tranches de bagel et les faire frire en les retournant une fois jusqu'à ce qu'elles soient dorées et croustillantes, soit environ 3 min par côté. Avec des pinces, les retirer de l'huile puis les éponger sur du papier absorbant. Saler et poivrer quand elles sont chaudes. Il faut environ 24 chips de bagel pour la recette. Choisir les plus belles et garder les autres pour des en-cas.

HUILE AUX OIGNONS VERTS

• Couper les extrémités vertes des oignons (réserver les parties blanches pour la salade de saumon), les mettre dans un contenant résistant à la chaleur et les recouvrir de l'eau du robinet la plus chaude. Laisser reposer 5 min. Retirer les parties vertes de l'eau et bien les essorer avec du papier absorbant. Découper grossièrement les parties vertes «fanées» et les placer dans un mélangeur. Les recouvrir d'huile de canola et mélanger 8 min à haute vitesse. Verser dans un contenant couvert et réfrigérer environ 30 min. Quand le mélange a refroidi, passer dans un filtre à café ou une toile à fromage.

SAUCE AU FROMAGE À LA CRÈME

• Mettre le fromage à la crème dans un mélangeur de comptoir. À l'aide du fouet, battre à basse vitesse pour défaire le fromage. Ajouter de la crème et battre à vitesse moyenne jusqu'à ce que le mélange soit bien lisse. Ajouter lentement le lait tout en continuant à battre jusqu'à

INGRÉDIENTS

CHIPS DE BAGEL
• 6 bagels
• Huile d'arachide pour la friture
• Gros sel et poivre du moulin

HUILE AUX OIGNONS VERTS
• 2 bottes d'oignons
• Environ 60 ml (¼ tasse) d'huile de canola (colza) ou la quantité nécessaire

SAUCE AU FROMAGE À LA CRÈME

- 360 g (12 oz) de fromage à la crème à température ambiante
- 60 ml (¼ tasse) de crème épaisse
- 60 ml (¼ tasse) de lait entier
- Gros sel et poivre blanc
- 480 g (1 lb) de saumon fumé en tranches coupé en julienne
- 6 c. à soupe d'huile extravierge
- 2 bottes de ciboulette fraîche, émincées
- 2 salades frisées
- 1 oignon rouge moyen coupé en 2 et finement émincé
- 60 ml (¼ tasse) de vinaigre de vin rouge
- 3 c. à soupe de sucre
- 16 tranches de tomates mûries sur pied évidées, chacune de 6 mm (¼ po) d'épaisseur (environ 4 tomates)
- Poivre du moulin

ce que la consistance du mélange soit celle d'une pâte à crêpes homogène. Assaisonner avec le sel et le poivre blanc.

SALADE DE SAUMON

• Placer le saumon dans un bol en assaisonnant avec le sel et le poivre blanc. Ajouter 4 c. à soupe d'huile d'olive et mélanger avec 2 fourchettes de façon à séparer les morceaux de saumon et à les huiler enduire uniformément d'huile. Couper en biais les parties blanches des oignons réservés et les émincer finement. Les ajouter au saumon avec la ciboulette et bien mélanger.

SALADE FRISÉE

• Couper la racine des frisées ainsi que les grosses feuilles vertes extérieures. Jeter les extrémités des racines. Conserver les feuilles vertes pour un usage ultérieur. Rincer les feuilles tendres et jaunes du cœur et réserver dans un bol. Mettre l'oignon dans un petit bol résistant à la chaleur. Dans une petite casserole, porter le vinaigre et le sucre à ébullition en mélangeant bien pour dissoudre le sucre. Verser le mélange très chaud sur l'oignon pour le faire mariner légèrement. Laisser refroidir à température ambiante. Dresser la frisée avec l'oignon mariné et les 2 c. à soupe d'huile d'olive qui restent. Saler et poivrer au poivre blanc.

FINITION

• Avec une louche, répartir 60 ml (¼ tasse) de sauce au fromage à la crème dans chacune des 8 assiettes et verser 1 ½ c. à café (1 ½ c. à thé) d'huile aux oignons verts. Disposer 1 tranche de tomate dans chaque assiette en pressant doucement sur la tomate pour qu'elle s'imbibe de sauce. Déposer une chip sur chaque tomate. Diviser la salade de saumon fumé en deux. Répartir également la première moitié sur les chips et répéter l'opération – chip de bagel, tranche de tomate et salade de saumon en terminant par une chip de bagel. Décorer chaque portion de quelques feuilles de salade frisée. Pour finir, donner un tour de moulin de poivre noir.

Chaussons de saumon fumé aux échalotes frites

6 portions

Si vous ne disposez pas de crème fraîche, faites la vôtre ou remplacez-la par de la crème sure. Si vous choisissez la crème sure, passez-la au chinois pendant au moins 1 h. Sinon, une toile à fromage ou un tamis fin feront l'affaire.

PÂTE FEUILLETÉE

• Préchauffer le four à 180 °C (350 °F). Recouvrir une plaque à biscuits d'une feuille de papier sulfurisé. Sur une surface farinée, rouler la pâte feuilletée sur une épaisseur d'environ 20 cm (8 po). Découper six ronds de 10 cm (4 po). Les piquer à la fourchette et les déposer sur la plaque à biscuits recouverte de papier sulfurisé. Badigeonner les ronds avec 2 c. à soupe de beurre fondu, saler et poivrer légèrement. Recouvrir d'une seconde feuille de papier sulfurisé et placer une seconde plaque à biscuits par-dessus. Mettre un poids sur le dessus en posant un moule à tarte rempli de haricots secs ou de poids pour pâtisserie.

• Faire cuire la pâte feuilletée 20 min environ jusqu'à ce qu'elle prenne une teinte brun doré. Enlever les poids, la plaque à biscuits du dessus et le papier sulfurisé et laisser refroidir les pâtisseries sur une grille.

• Pendant que la pâte est au four, verser dans une sauteuse les 6 c. à soupe restant de beurre fondu et y faire revenir pendant environ 10 min les oignons jusqu'à ce qu'ils soient «fondus» (p. 15). Égoutter dans un tamis placé au-dessus d'un bol (réserver le beurre pour un autre usage) et laisser refroidir à température ambiante.

• Dans un grand bol, fouetter la crème fraîche jusqu'à ce qu'elle fasse des pics moyens. À l'aide d'une spatule, incorporer doucement l'oignon tiédi. Saler et poivrer au goût et réserver 10 à 15 min pour permettre aux saveurs de se marier.

- 1 feuille de 240 g (8 oz) de pâte feuilletée achetée dans le commerce de 23 x 24 cm (9 x 9 ½ po) décongelée
- 9 c. à soupe de beurre non salé fondu
- Gros sel et poivre du moulin
- 1 gros oignon doux coupé en petits dés
- 500 ml (2 tasses) de crème fraîche (p. 13)
- Huile d'arachide pour la friture
- 2 grosses échalotes finement émincées
- 240 g (½ lb) de saumon fumé en tranches
- Cerfeuil frais ou branches de persil plat

• Dans une petite casserole, verser 5 cm (2 po) environ d'huile d'arachide et chauffer à 180 °C (350 °F). Ajouter les échalotes et faire frire 2 à 3 min jusqu'à ce qu'elles soient brun doré. Bien surveiller la friture car les échalotes brûlent vite. À l'aide d'une écumoire en métal ou d'un tamis, déposer les échalotes frites sur 4 couches de papier absorbant. Saupoudrer légèrement de sel et de poivre dès la friture terminée pour de meilleurs résultats.

FINITION

• Placer une rondelle de pâtisserie au centre de chacune des 6 assiettes. À l'aide d'une cuillère, monter joliment environ 125 ml (½ tasse) de crème fraîche fouettée sur chaque pâtisserie. Couvrir de saumon fumé et terminer par les échalotes frites et le cerfeuil.

Polenta au saumon fumé et pesto à la ciboulette

Cette recette assez simple le sera encore davantage si vous remplacez le pesto à la ciboulette par des fines herbes hachées. J'aime le goût subtil de noisette de l'ail rôti mais si vous préférez l'ail cru, une gousse moyenne suffira.

PESTO À LA CIBOULETTE

• Dans un robot de cuisine, combiner la ciboulette, le persil, les pignons, l'ail et le parmesan et actionner le robot jusqu'à ce que le tout soit finement haché. Verser de l'huile d'olive en petites quantités en faisant redémarrer le robot immédiatement après chaque addition. Continuer ainsi jusqu'à ce que le mélange soit relativement homogène. Verser dans un bol, saler et poivrer au goût. Réserver.

POLENTA

• Dans une casserole, porter l'eau à ébullition à feu vif. Ajouter 1 c. à café (1 c. à thé) de sel puis verser lentement la polenta instantanée sans arrêter de remuer. Quand le mélange commence à épaissir, réduire la chaleur à moyen-bas et continuer à remuer pendant 5 à 7 min jusqu'à ce que la polenta commence à se détacher des côtés de la casserole. Ajouter la crème, le beurre et le fromage et mélanger jusqu'à ce que le tout soit complètement incorporé. Saler et poivrer au goût.

FINITION

• Répartir la polenta dans les 6 bols. Disposer joliment le saumon au centre de chaque portion. À l'aide d'une cuillère, entourer le saumon de pesto à la ciboulette. Décorer avec les copeaux de parmesan et quelques ciboulettes entières en les piquant dans la polenta.

PRÉPARATION INGRÉDIENTS

PESTO À LA CIBOULETTE
• 1 grosse botte de ciboulette fraîche ou 2 bottes moyennes, coupées en morceaux de 1,25 cm (1/2 po) dans le sens de la longueur
• Feuilles d'un demi-bouquet de persil plat, grossièrement hachées
• 100 g (1/2 tasse) de pignons grillés (p. 15)
• 2 ou 3 gousses d'ail rôties (p. 14)
• 100 g (1/2 tasse) de parmesan frais râpé
• 125 ml (1/2 tasse) d'huile extravierge
• Gros sel et poivre du moulin

POLENTA
• 750 ml (3 tasses) d'eau
• Gros sel
• 150 g (3/4 tasse) de polenta instantanée
• 125 ml (1/2 tasse) de crème épaisse
• 3 c. à soupe de beurre non salé
• 100 g (1/2 tasse) de fontina râpée
• Poivre du moulin

• 240 g (1/2 lb) de saumon fumé coupé en dés de 1 cm (3/8 po)
• Copeaux de parmesan frais râpé (faits avec un couteau économe)
• 18 ciboulettes fraîches entières

Fettucine au saumon fumé, sauce à l'aquavit parfumée au fenouil

SAUCE À L'AQUAVIT PARFUMÉE AU FENOUIL

- 2 gros bulbes de fenouil ou 3 moyens
- 3 c. à soupe de beurre non salé
- 1 c. à café (1 c. à thé) de graines de carvi, grillées et moulues (p. 15)
- 500 ml (2 tasses) de bouillon de poulet maison ou de bouillon de poulet léger en conserve à faible teneur en sodium
- 60 ml (¼ tasse) d'aquavit
- 500 ml (2 tasses) de crème épaisse
- Gros sel et poivre du moulin

- 2 c. à soupe d'huile d'olive
- 2 c. à café (2 c. à thé) de gros sel
- 480 g (1 lb) de fettucine
- 240 g (½ lb) de saumon fumé en tranches, coupé en julienne

L'aquavit est une liqueur parfumée aux graines de carvi avec un trait sucré qui fait parfaitement ressortir le goût salé du saumon fumé.

SAUCE À L'AQUAVIT AU FENOUIL

• Égaliser les tiges et les frondes des bulbes du fenouil et réserver les frondes pour la décoration. Couper les bulbes en deux dans le sens de la longueur puis en dés de 6 mm (¼ po). Dans une grande sauteuse, faire fondre le beurre sur feu moyen. Ajouter les dés de fenouil et les graines de carvi et laisser cuire 5 min environ, en remuant de temps en temps jusqu'à ce que le mélange soit légèrement caramélisé. Verser le bouillon de poulet et poursuivre la cuisson environ 10 min, jusqu'à ce que le fenouil soit tendre et ait absorbé la plupart du bouillon. À feu vif, ajouter délicatement l'aquavit. (Attention! Verser l'eau-de-vie dans une tasse à mesurer et non directement de la bouteille. Si vous avez une cuisinière à gaz, éloignez-vous de la flamme.) Flamber l'eau-de-vie pour faire évaporer l'alcool, ce qui devrait prendre environ 2 min. À feu doux, ajouter la crème. Laisser mijoter doucement environ 8 min pour faire réduire légèrement la sauce. Saler et poivrer au goût. Garder la sauce au chaud pendant la cuisson des pâtes.

PÂTES

• Remplir une grande casserole d'eau et ajouter de l'huile d'olive et du sel. Faire bouillir l'eau à gros bouillons sur feu vif. Y jeter les pâtes, bien remuer, et laisser cuire *al dente,* soit environ 12 min. Égoutter les pâtes et les ajouter à la sauce. Réchauffer doucement, en remuant bien pour que les pâtes s'imprègnent de la sauce.

FINITION

• Diviser les pâtes en parts égales et les mettre dans 6 grandes assiettes creuses. Déposer dessus le saumon fumé et garnir avec les frondes de fenouil réservées.

Flan au saumon fumé, aux huîtres et au caviar

FLAN AU SAUMON FUMÉ

- 120 g (¹/₄ lb) de saumon fumé en tranches
- 180 ml (³/₄ tasse) de crème épaisse
- 180 ml (³/₄ tasse) de crème moitié moitié
- 1 gros œuf
- ¹/₈ c. à café (¹/₈ c. à thé) d'huile de citron
- Beurre non salé pour graisser les ramequins
- Eau bouillante si nécessaire

L'huile de citron est vendue dans certaines épiceries fines. Elle ne peut être remplacée par rien d'autre. Si vous n'en trouvez pas, mieux vaut vous en passer.

FLANS

• Préchauffer le four à 135 °C (275 °F). Couper les tranches de saumon en carrés de 2,5 cm (1 po). Installer le disque fin du mélangeur et hacher le saumon. (Ou le couper à la main en petits dés à l'aide d'un couteau aiguisé et d'une bonne vieille planche à découper.) Dans un robot de cuisine, combiner tous les ingrédients du flan à l'exception du beurre et de l'eau bouillante, et actionner jusqu'à ce que le mélange soit complètement homogène. Passer 3 fois dans un tamis (un tamis à fines mèches en forme de tambour ou tout autre tamis fin).

• Beurrer légèrement six ramequins de 90 ml (3 oz) allant au four. Remplir les ramequins aux trois quarts avec l'appareil du flan. Préparer un bain-marie en plaçant les ramequins dans un plat de cuisson rectangulaire puis en versant 2,5 cm (1 po) d'eau bouillante dans le plat. Cuire de 25 à 30 min jusqu'à ce que les flans soient pris. Sortir les ramequins du bain-marie et laisser refroidir.

- 1 c. à café (1 c. à thé) + 3 c. à soupe de beurre non salé
- ½ petit oignon jaune, coupé en petits dés
- ½ petite carotte, pelée et coupée en petits dés
- ½ pied de céleri, pelé et coupé en petits dés
- 3 c. à soupe d'eau
- 6 huîtres écaillées
- 60 g (2 oz) de caviar osetra
- 3 ciboulettes fraîches, émincées

LÉGUMES

• Dans une petite sauteuse, mélanger à feu doux 1 c. à café (1 c. à thé) de beurre. Ajouter l'oignon, la carotte et le céleri et laisser suer de 5 à 7 min jusqu'à ce que les légumes soient tendres. (Ce mélange de légumes coupés en petits dés et cuits dans le beurre porte le nom de brunoise.) Enlever du feu et réserver.

BEURRE MONTÉ (SIMPLE ÉMULSION)

• Placer l'eau dans une petite casserole et faire frémir à feu doux. Y jeter en fouettant les 3 c. à soupe de beurre qui restent et cuire jusqu'à ce que le mélange soit homogène. Chauffer les huîtres en les faisant glisser dans le mélange. Les y laisser 1 min environ. Ne pas trop les cuire. Ajouter les légumes réservés.

FINITION

• Préchauffer le four à 105 °C (225 °F). Chauffer les flans dans le four pendant 15 min pour les amollir. Démouler soigneusement chaque flan sur une assiette. Déposer dessus une huître chaude et 1 c. à café (1 c. à thé) de légumes. Napper avec le reste du beurre monté et décorer avec le caviar et la ciboulette.

Tartare de saumon fumé et gâteaux de pommes de terre avec crème fraîche et caviar

6 portions

TARTARE DE SAUMON FUMÉ

- 2 c. à soupe de beurre non salé
- 1 grosse échalote finement émincée
- 240 g (½ lb) de saumon fumé en tranches
- 1 bouquet de ciboulette fraîche émincée
- 1 c. à soupe d'huile extravierge
- Gros sel et poivre du moulin

Ce plat peut être servi tel quel, mais une cuillerée d'huile aux oignons verts (p. 14) déposée autour de l'assiette apporte une magnifique touche finale.

TARTARE DE SAUMON FUMÉ

• Dans une petite sauteuse, faire fondre le beurre à feu moyen. Y ajouter l'échalote puis réduire à feu bas et cuire doucement 5 à 7 min, le temps que l'échalote prenne une consistance tendre. Enlever du feu et laisser tiédir.

• Couper les tranches de saumon en carrés de 2,5 cm (1 po). Attacher le disque fin du mélangeur et hacher le saumon. (On peut aussi tout simplement le couper en petits dés avec un couteau bien tranchant.) Dans un petit bol, mélanger le saumon haché, l'échalote, la ciboulette et l'huile d'olive. Bien remuer pour combiner le tout. Saler et poivrer au goût et réserver.

GÂTEAUX DE POMMES DE TERRE

• Préchauffer le four à 160 °C (325 °F). Couper les pommes de terre en fines tranches (à l'aide d'une mandoline ou à la main) et les sécher entre deux feuilles de papier absorbant. Recouvrir le fond d'une feuille de papier sulfurisé et, à l'aide d'un pinceau, les enduire de beurre fondu. En comptant 3 ou 4 tranches de pomme de terre qui se chevauchent pour chaque cercle, faire dix-huit cercles de 10 cm (4 po) de diamètre sur le papier sulfurisé. Badigeonner de beurre fondu les ronds ainsi obtenus, saler et poivrer. Cuire 10 à 15 min, jusqu'à ce que les ronds de pommes de terre soient brun doré. Une fois cuits, les détacher délicatement du papier et les poser sur du papier absorbant pour qu'ils sèchent.

- 2 grosses pommes de terre Yukon Gold pelées
- 4 c. à soupe de beurre non salé, fondu et clarifié
- Gros sel et poivre du moulin
- 6 c. à soupe de crème fraîche (p. 13)
- 60 g (2 oz) de caviar sevruga

FINITION

• Placer un gâteau de pomme de terre sur chacune des 6 assiettes et y déposer 1 ½ c. à soupe de tartare de saumon et 1 c. à café (1 c. à thé) de crème fraîche. Déposer sur chaque assiette un second gâteau de pomme de terre, 1 ½ c. à soupe de tartare et 1 c. à café (1 c. à thé) de crème fraîche. Terminer par un troisième gâteau de pommes de terre.

• À l'aide de la poche à décorer, déposer une rosette de crème fraîche avec la poche de crème fraîche ou encore déposer une bonne cuillerée de crème fraîche et 1 c. à café (1 c. à thé) de caviar.

Saumon de l'Atlantique fumé avec blinis de pomme de terre, laitue frisée et crème à l'oignon doux

BLINIS

- 1 grosse pomme de terre russet, d'au moins 360 g (12 oz), pour obtenir plus ou moins 400 g (2 tasses) de purée de pomme de terre
- 2 c. à soupe de farine tout usage
- 2 c. à soupe de crème fraîche (p. 13)
- 2 gros œufs + 1 gros blanc d'œuf
- ½ c. à café (½ c. à thé) de gros sel
- ½ c. à café (½ c. à thé) de poivre du moulin

CRÈME À L'OIGNON DOUX

- 125 ml (½ tasse) de crème fraîche (p. 13)
- 50 g (¼ tasse) d'oignon rouge finement haché
- Gros sel et poivre du moulin

- 16 tranches de saumon fumé
- 50 g (1 tasse) de salade frisée
- Huile aux oignons verts (p. 13) à verser sur la laitue frisée
- 1 ½ c. à soupe de ciboulette fraîche émincée

Le grand chef Thomas Keller a servi mon saumon fumé à son menu pendant plusieurs années. Il a eu la gentillesse de me fournir une de ses recettes. La voici.

BLINIS

• Faire bouillir la pomme de terre russet non pelée et entière 45 à 50 min jusqu'à ce qu'elle soit complètement cuite. Égoutter et, pendant qu'elle est encore très chaude, la peler et la passer dans un presse-purée. Mesurer 400 g (2 tasses) de purée. (Jeter le restant ou le réserver pour un autre usage.) Dans un bol à mélanger, combiner la pomme de terre, la farine, la crème fraîche, les œufs et le blanc d'œuf et mélanger intimement. Saler avec ½ c. à café (½ c. à thé) de sel et la même quantité de poivre. À l'aide d'une cuillère, déposer suffisamment de pâte sur une plaque à frire antiadhésive et préchauffée pour faire un blini de 8 cm (3 po) de diamètre. Laisser cuire à feu moyen 2 min environ, jusqu'à ce que le blini soit brun doré des deux côtés (compter 1 min par côté). Donne 16 blinis.

• Pour faire la crème à l'oignon doux: dans une petite casserole, faire chauffer la crème fraîche à feu doux. Hors du feu, incorporer l'oignon, saler et poivrer au goût et réserver.

POUR SERVIR

• Préparer 8 grandes assiettes. À l'aide d'une cuillère, déposer une petite quantité de crème à l'oignon doux au centre de chaque assiette. Disposer 2 blinis par assiette et recouvrir chaque blini d'une tranche de saumon. Couronner le tout avec la frisée et huiler légèrement avec l'huile aux oignons verts. Parsemer d'échalotes le bord de chaque assiette.

ŒUFS

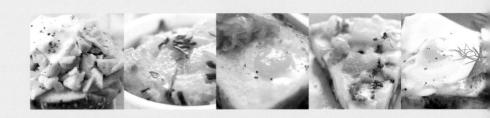

Œufs brouillés au lox et aux oignons

6 portions

On peut se procurer des retailles de saumon fumé partout où l'on vend du saumon fumé débité à la main. On peut aussi utiliser les restants d'autres recettes (p. 11).

• Dans une grande sauteuse, faire fondre le beurre à feu doux. Y jeter l'oignon et cuire sans hâte 5 min environ jusqu'à ce que l'oignon soit tendre et translucide. Ajouter le saumon et laisser cuire 5 min de plus en remuant sans arrêt jusqu'à ce que le saumon s'effeuille facilement.

• Dans un grand bol, fouetter les œufs et l'eau jusqu'à ce que le mélange soit mousseux. Saler et poivrer légèrement. Incorporer le mélange saumon-oignon et faire cuire à feu doux sans cesser de remuer à l'aide d'une spatule en caoutchouc, jusqu'à ce que les œufs soient cuits au goût.

FINITION

• À l'aide d'une cuillère, servir les œufs dans 6 assiettes préalablement chauffées et disposer les bagels à côté. Pour couronner le tout, vous pouvez ajouter une bonne cuillerée de crème sure.

CONSEIL DU CHEF

• Pour un plat plus léger et délicat, préférez l'eau au lait. En effet, les protéines du lait épaississent les œufs.

- 4 c. à soupe de beurre non salé
- 1 gros oignon doux coupé en dés de 6 mm ($1/4$ po)
- 240 g ($1/2$ lb) de retailles de saumon fumé grossièrement hachées
- 12 œufs extra-gros ou 14 gros œufs
- 60 ml ($1/4$ tasse) d'eau
- Gros sel et poivre du moulin
- 6 bialis ou bagels coupés en deux et grillés
- Crème sure (facultatif)

Œufs brouillés au saumon fumé, aux épinards et au gruyère

6 portions

- 12 œufs extra-gros ou 14 gros œufs
- 125 ml ($\frac{1}{2}$ tasse d'eau)
- Gros sel et poivre du moulin
- 6 c. à soupe de beurre non salé
- 480 g (1 lb) de jeunes épinards
- 100 g ($\frac{1}{2}$ tasse) de gruyère râpé grossièrement
- 120 g ($\frac{1}{4}$ lb) de saumon en tranches, coupé en julienne

Pour une texture plus crémeuse et une saveur plus douce, vous pouvez remplacer le gruyère par du fromage à la crème.

• Dans un grand bol, fouetter les œufs avec de l'eau. Tout en continuant à fouetter, ajouter une pincée de sel et de poivre et réserver.

• Dans une grande sauteuse antiadhésive, faire fondre 2 c. à soupe de beurre à feu moyen jusqu'à ce qu'une mousse se forme. Quand le beurre mousse encore et qu'il commence à brunir, ajouter les épinards. (C'est du beurre noisette, ainsi appelé à cause de sa couleur de noisette grillée. Laisser le beurre brunir rend les épinards plus goûteux.) Saler et poivrer et faire sauter les épinards jusqu'à ce qu'ils commencent à se flétrir. Les retirer de la poêle, les hacher grossièrement et réserver.

• Faire fondre à feu moyen les 4 c. à soupe du beurre restant dans la même sauteuse. Ajouter les œufs et le gruyère et faire cuire lentement à feu doux en remuant constamment avec une cuillère en bois ou une spatule en caoutchouc à l'épreuve de la chaleur. (Plus la cuisson sera lente, plus le goût des œufs sera délicat.) Lorsque les œufs commencent à être plus fermes, ajouter les épinards, bien mélanger et poursuivre la cuisson jusqu'à ce que les œufs aient atteint la consistance désirée. Au dernier moment, remuer le saumon et enlever du feu.

POUR SERVIR

• Répartir les œufs dans 6 assiettes préalablement chauffées et servir immédiatement.

Omelette au saumon fumé, aux asperges et au saint-andré

- 1 c. à soupe d'huile d'olive
- 6 c. à soupe de beurre non salé
- 480 g (1 lb) d'asperges, extrémités dures enlevées, coupées en diagonale en tranches de 6 mm (¹/₄ po) d'épaisseur
- Gros sel et poivre du moulin
- 12 œufs extra-gros ou 14 gros œufs
- 60 ml (¹/₄ tasse) d'eau
- 180 g (6 oz) de saint-andré coupé en cubes de 1,25 cm (¹/₂ po)
- 240 g (¹/₂ lb) de saumon fumé en tranches

Remplacez au besoin le saint-andré, un fromage doux triple crème, par n'importe quel fromage semblable de votre région. Servez cette omelette accompagnée d'une Galette croustillante au saumon fumé (p. 32) et d'une salade légère.

ASPERGES

Dans une grande sauteuse, faire chauffer à feu moyen l'huile d'olive et 2 c. à soupe de beurre. Lorsque le beurre commence à mousser, ajouter les asperges, saler et poivrer légèrement et prolonger la cuisson 7 à 10 min en remuant de temps en temps, jusqu'à ce que les asperges soient tendres (mais pas trop *al dente*). Enlever la sauteuse du feu et réserver.

OMELETTES

- Préchauffer le four à 110 °C (225 °F). Dans un grand bol, incorporer les œufs et l'eau en fouettant jusqu'à ce que le mélange soit mousseux. Bien saler et poivrer. Dans une grande sauteuse antiadhésive, faire fondre 2 c. à soupe de beurre à feu doux. Quand le beurre est tout juste fondu, verser dessus la moitié des œufs battus. Cuire doucement, en rapprochant les bords de l'omelette du centre à l'aide d'une spatule résistant à la chaleur, pour une cuisson uniforme. Après 5 min, les œufs devraient être cuits sans avoir pris de couleur. Ajouter alors la moitié des asperges, la moitié du fromage et la moitié du saumon fumé au centre de l'omelette. Plier en deux soigneusement et déposer sur une plaque à biscuits à four chaud. Faire une seconde omelette en procédant de la même manière avec les ingrédients restants.

POUR SERVIR

- Diviser chaque omelette en trois et en placer une pointe dans chacune des 6 assiettes préalablement chauffées.

CONSEIL DU CHEF

- Les meilleures omelettes sont «blondes». Il ne faut pas les faire cuire à feu vif ni trop longtemps. Avec une cuisson adéquate, les œufs seront tendres et délicats.

Fritatta au saumon fumé, pommes de terre, oignons et cerfeuil

INGRÉDIENTS

- 480 g (1 lb) de pommes de terre Yukon Gold pelées et coupées en cubes 2,5 cm (1 po)
- Gros sel
- 6 c. à soupe de beurre non salé
- 1 oignon doux coupé en dés de 6 mm (¼ po)
- 12 œufs extra-gros ou 14 gros œufs
- 60 ml (¼ tasse) d'eau
- Poivre du moulin
- 1 bouquet de cerfeuil frais
- 240 g (½ lb) de saumon fumé coupé en cubes de 1 cm (³/₈ po)
- 120 g (4 oz) de fromage à la crème partiellement congelé et coupé en cubes de 6 mm (¼ po)

PRÉPARATION

Une frittata est une omelette non retournée dont on termine la cuisson au four. On a congelé 30 min le fromage à la crème pour faciliter le découpage des cubes. On peut remplacer le cerfeuil parfois difficile à trouver par du persil plat et les Yukon Gold par des russet.

POMMES DE TERRE

• Mettre les pommes de terre dans une casserole et les recouvrir d'eau froide en ajoutant une pincée de sel. Porter à ébullition à feu vif puis baisser le feu et laisser mijoter 10 à 15 min jusqu'à ce qu'une fourchette transperce facilement la chair des pommes de terre. Les égoutter et les laisser tiédir légèrement avant de monter la frittata.

• Dans une grande sauteuse allant au four, faire fondre le beurre à feu modéré. Y ajouter l'oignon et faire revenir de 3 à 5 min jusqu'à ce qu'il soit tendre. Ajouter les pommes de terre et les faire cuire à feu doux, 5 min environ, en remuant de temps à autre pour laisser le mélange oignons-pommes de terre brunir légèrement.

• Pendant ce temps, verser les œufs et l'eau dans un grand bol et fouetter jusqu'à ce que le mélange soit mousseux. Bien saler et poivrer. Réserver 6 belles branches de cerfeuil pour la décoration. Hacher le restant et l'ajouter aux œufs.

FRITTATA

• Préchauffer le four à 180 °C (350 °F). Ajouter le mélange aux œufs à la sauteuse ainsi que l'oignon et les pommes de terre. Laisser cuire à feu doux environ 5 min, en remuant brièvement les œufs. Quand ils commencent à être cuits, les parsemer de saumon fumé et de fromage à la crème et mettre la sauteuse au four. Laisser cuire encore 10 min. Les œufs doivent être juste à point. Le truc est de réchauffer le saumon sans le cuire.

POUR SERVIR

• Couper la frittata en pointes et la servir dans les 6 assiettes préalablement chauffées. Décorer avec les branches de cerfeuil.

Œufs cuits dans le pain avec saumon fumé et pesto de pois chiches

6 portions

Vous pouvez remplacer le challa par votre pain préféré à condition que les tranches soient suffisamment larges pour y faire un trou et pour accueillir la garniture.

PESTO DE POIS CHICHES

• Égoutter les pois chiches en réservant le liquide de la boîte pour allonger le pesto au besoin. À l'aide d'un petit tamis, rincer les pois chiches sous l'eau froide. Dans un robot de cuisine, combiner les pois chiches, l'ail, le persil et le parmesan. Pendant que le robot tourne, verser lentement un mince filet d'huile d'olive sur la préparation. Quand l'huile d'olive est bien incorporée, ajouter l'huile à la truffe et laisser tourner encore 5 sec. Attention de ne pas trop mixer car le mélange doit garder une texture un peu grossière et ne pas être complètement homogène. S'il est trop épais, ajouter le liquide des pois chiches réservé, 1 c. à café (1 c. à thé) à la fois. Saler et poivrer au goût.

• À l'aide d'un emporte-pièce rond de 2,5 à 3,5 cm (2 à 2 ½ po) ou d'un verre à jus, pratiquer un trou au centre de chaque tranche de challa. Jeter les cercles de pain ou les réserver pour un usage ultérieur. Dans une grande sauteuse antiadhésive ou sur la plaque à frire de la cuisinière, faire fondre une quantité suffisante de beurre à feu moyen-doux pour les tranches de pain, soit environ 1 c. à soupe par 2 tranches. Y faire revenir pendant 2 à 3 min le pain qui doit prendre une couleur brun doré sur un côté. (Ne pas mettre trop de tranches ensemble, utiliser plutôt 2 poêles ou cuire en plusieurs fois et maintenir la première fournée à four chaud.) Retourner les tranches et casser un œuf dans chaque trou pratiqué. Saler et poivrer légèrement et poursuivre la cuisson 2 à 3 min jusqu'à ce que les blancs soient pris que les jaunes aient la consistance désirée. Enlever du feu.

POUR SERVIR

• Placer 2 tranches de pain à l'œuf sur chaque assiette. Décorer les œufs avec le saumon et le pesto aux pois chiches.

INGRÉDIENTS

PESTO DE POIS CHICHES

- 200 g (1 tasse) de pois chiches
- 4 gousses d'ail rôties (p. 14)
- 50 g (¼ tasse) de persil plat frais
- 50 g (¼ tasse) de parmesan frais râpé
- 6 c. à soupe d'huile d'olive extravierge
- ½ c. à café (½ c. à thé) d'huile de truffe blanche
- Gros sel et poivre du moulin

- 1 grand pain challa de 950 g (2 lb) coupé en 12 tranches moyennes à épaisses
- 6 c. à soupe de beurre non salé
- 12 œufs extra-gros
- 120 g (¼ lb) de saumon fumé coupé en julienne

Omelette à la façon de Max

*Cette recette donne deux grandes omelettes que l'on coupe en trois.
Préférez un fromage à la crème acheté dans un magasin de produits
naturels, sans produits chimiques et sans gomme de guar. Pour une
omelette de luxe, doublez la portion de caviar.*

OMELETTE

• Préchauffer le four à 110 °C (225 °F). Dans un grand bol, fouetter
les œufs et l'eau jusqu'à ce que le mélange soit mousseux. Bien saler et
poivrer. Dans une grande sauteuse antiadhésive, faire fondre 3 c. à
soupe de beurre à feu doux. Quand le beurre est tout juste fondu,
ajouter la moitié des œufs. Cuire doucement et, à l'aide d'une spatule
allant au four, rassembler les côtés de l'œuf au centre de la poêle pour
assurer une cuisson uniforme. Après environ 5 min, quand la base des
œufs est cuite sans être colorée, parsemer la moitié des cubes de fromage
à la crème sur la surface et recouvrir de la moitié du saumon, en
distribuant la moitié du caviar au centre. Plier soigneusement l'omelette en deux, la placer sur une plaque à biscuits et la mettre à four
chaud. Avec l'autre moitié des ingrédients, faire une seconde omelette
en procédant de la même manière.

POUR SERVIR

• Couper chaque omelette en trois et déposer une pointe dans chacune
des 6 assiettes préalablement réchauffées. Parsemer de ciboulette ciselée.

INGRÉDIENTS

• 12 œufs extra-gros ou 14 gros œufs
• 60 ml (¼ tasse) d'eau
• Gros sel et poivre du moulin
• 6 c. à soupe de beurre non salé
• 240 g (8 oz) de fromage à la crème
  (voir p. 13) à température ambiante
  coupé en cubes de 1,25 cm (½ po)
• 240 g (½ lb) de saumon fumé en tranches
• 60 g (2 oz) de caviar sevruga
• 1 bouquet de ciboulette fraîche ciselé

Saumon fumé aux œufs brouillés cuits lentement et pleurotes sautés dans un vol-au-vent

INGRÉDIENTS

- 2 c. à soupe d'huile d'arachide
- 6 c. à soupe de beurre non salé
- 2 échalotes finement émincées
- 480 g (1 lb) de pleurotes nettoyés à la brosse, équeutés, chapeaux coupés en julienne
- Gros sel et poivre fraîchement moulu
- 1 bouquet de ciboulette fraîche émincé
- 12 œufs extra-gros ou 14 gros œufs
- 60 ml ('/₄ tasse) d'eau
- 120 g ('/₄ lb) de saumon fumé tranché coupé en lanières de 5 cm (2 po) de long sur 6 mm ('/₄ po) de large
- 6 vol-au-vent
- 1 grosse botte de roquette ou 2 bottes moyennes, équeutées et coupées en chiffonnade

PRÉPARATION

Si vous utilisez des fonds de vol-au-vent congelés de 8 à 9 cm (3 à 4 po) de diamètre, faites-les cuire selon les instructions et laissez refroidir. Faites tremper la roquette, très sablonneuse, en changeant l'eau au moins deux fois.

GARNITURE

- Dans une grande sauteuse, faire chauffer l'huile d'arachide à feu moyen-vif jusqu'à ce qu'elle fume presque. Ajouter en tournant 2 c. à soupe de beurre ainsi que les échalotes et faire cuire 1 min en remuant sans arrêt. Ajouter les champignons et laisser cuire 2 ou 3 min sans les déranger jusqu'à ce que les champignons commencent à prendre de la couleur. Remuer et laisser cuire 2 min de plus. Les champignons doivent être d'un beau brun doré. Bien saler et poivrer, ajouter la ciboulette et cuire 2 min supplémentaires. Enlever du feu et garder au chaud.

- Dans un grand bol, battre les œufs et l'eau jusqu'à ce que le mélange soit mousseux. Saler et poivrer généreusement. Dans une grande sauteuse, faire fondre à feu doux le reste du beurre. Ajouter les œufs et faire cuire très lentement pendant environ 15 min en remuant à l'aide d'une cuiller en bois ou d'une spatule en caoutchouc résistant à la chaleur, jusqu'à ce que le mélange soit presque prêt. Introduire le saumon et retirer la sauteuse du feu en la maintenant au chaud.

FINITION

- Disposer une croûte de vol-au-vent au centre de chacune des 6 assiettes préalablement chauffées. À l'aide d'une cuiller, remplir la croûte avec les œufs brouillés et le saumon et les disposer également tout autour. Faire la même chose avec les champignons. Déposer le couvercle des vol-au-vent sur les œufs et le saumon et décorer avec la chiffonnade de roquette.

Quiche aux poireaux fondus,
au boursin et au saumon fumé

6 portions

Vous pouvez utiliser de la pâte congelée que l'on trouve dans le commerce. Une quiche accompagnée d'une salade constitue un déjeuner ou un souper léger délicieux.

QUICHE

Rouler la pâte réfrigérée sur une surface légèrement farinée et former une abaisse de 25 cm (10 po) et de 3 mm (⅛ po) d'épaisseur. La transférer soigneusement dans un moule à tarte en pyrex de 23 cm (9 po) en pressant la pâte au fond et sur les côtés. Avec le pouce et l'index, former des cannelures tout le tour. Mettre dans la partie la plus froide du réfrigérateur pendant au moins 30 min.

POIREAUX

Couper et jeter la partie verte des poireaux (ou la garder pour le bouillon). Couper le blanc qui reste en deux dans le sens de la longueur, puis couper en biais des rondelles de 6 mm (¼ po) d'épaisseur. Faire tremper 10 min les tranches dans un grand bol d'eau chaude.
À l'aide d'une écumoire, les sortir délicatement de l'eau pour ne pas troubler le fond où se sont déposés la terre et le sable et plonger les poireaux dans un second bol d'eau chaude. Laisser tremper 10 min de plus. Répéter l'opération jusqu'à ce que l'eau de trempage soit claire, sortir les poireaux de l'eau et les égoutter dans une écumoire puis les passer à l'essoreuse à salade ou les déposer sur du papier absorbant.
Dans une grande sauteuse, faire fondre le beurre à feu moyen-doux.
Y jeter les poireaux et faire revenir 10 ou 12 min, en remuant de temps à autre jusqu'à ce qu'ils aient complètement ramolli. Les retirer du feu et laisser refroidir.

PRÉPARATION

INGRÉDIENTS

- Une croûte de pâte à tarte réfrigérée de 225 g (7 ½ oz)
- 1 gros poireau ou 2 petits
- 3 c. à soupe de beurre non salé
- 500 ml (2 tasses) de crème épaisse
- 2 gros œufs entiers + 2 gros jaunes
- 200 g (1 tasse) de boursin aux herbes, émietté
- 240 g (½ lb) de saumon fumé coupé en dés de 6 mm (¼ po)
- Gros sel et poivre du moulin

ASSEMBLAGE

Préchauffer le four à 180 °C (350 °F). Dans un grand bol, combiner la crème, les œufs entiers, les jaunes et le boursin. Bien mélanger avec une cuiller en bois. Incorporer en mélangeant trois quarts de chaque poireau refroidi ainsi que le saumon. Saler et poivrer. Verser le mélange aux œufs dans la croûte de pâte réfrigérée. Faire cuire environ 20 min jusqu'à ce que les œufs commencent à prendre. Parsemer de façon décorative les poireaux et le saumon à la surface de la quiche et poursuivre la cuisson encore 10 ou 15 min. Une fois qu'ils sont bien pris, défourner et laisser reposer 10 min avant de servir.

POUR SERVIR

Couper la quiche en 6 parts égales et disposer une tranche sur chacune des 6 assiettes préalablement réchauffées.

Œufs bénédictines au saumon fumé, sauce à l'aneth

6 portions

Une recette qui fait beaucoup d'effet.

SAUCE HOLLANDAISE À L'ANETH

- Dans une petite casserole, faire fondre le beurre à feu doux. Réserver. Garder 6 brins d'aneth pour la décoration et hacher finement le reste. Réserver. Verser les jaunes d'œufs et 2 c. à soupe d'eau dans un grand bol allant au four. Remplir une poêle d'eau (assez grande pour accommoder le bol à mi-hauteur). Faire chauffer à feu moyen-doux jusqu'à ce que l'eau frémisse. Déposer le bol plein de jaunes d'œufs dans la poêle qui doit être immergée dans 2,5 à 5 cm (1 à 2 po) d'eau. Saler et poivrer légèrement. À l'aide d'un fouet flexible de taille moyenne, mélanger les œufs sans arrêter pendant 5 min environ jusqu'à ce que le mélange commence à épaissir. (Si vous utilisez un vrai bain-marie, l'eau doit à peine frémir et les œufs ne doivent pas trop cuire : ce ne sont pas des œufs brouillés.) Une fois que les jaunes sont tendres et légèrement fermes, enlever la poêle du feu et la déposer sur le comptoir en déposant la base sur un linge mouillé disposé en rond pour la maintenir en place. Verser à la louche de petites quantités de beurre fondu sur le mélange des jaunes épaissis, en laissant chaque fois le beurre s'incorporer parfaitement avant d'en verser d'autre. Ajouter ensuite la sauce Worcestershire, le tabasco, quelques gouttes de jus de citron et l'aneth. Saler, poivrer et garder au chaud sur la cuisinière ou à côté, pendant le pochage des œufs.

POCHER LES ŒUFS

- Remplir d'eau une grande poêle peu profonde jusqu'à une hauteur de 5 cm (2 po). Faire frémir l'eau et y verser le vinaigre. Avec 6 œufs, casser les œufs un à un et les glisser doucement dans l'eau. L'eau ne doit jamais bouillir. Après environ 4 min, quand les blancs sont pris et que les jaunes ont une apparence brillante tout en étant encore tendres, les retirer un à un à l'aide d'une écumoire et les déposer dans un grand plat de service jusqu'à ce que tous les œufs soient sortis. Recommencer l'opération avec les 6 autres œufs et les déposer dans le plat avec les

INGRÉDIENTS

SAUCE HOLLANDAISE À L'ANETH

- 200 g (1 tasse) de beurre non salé à température ambiante
- 1 bouquet d'aneth frais, haché
- 3 gros œufs
- 2 c. à soupe d'eau
- Gros sel et poivre du moulin
- 1 c. à café (1 c. à thé) de sauce Worcestershire
- 1 c. à café (1 c. à thé) de tabasco
- Jus d'un citron

- 60 ml (¼ tasse) de vinaigre blanc
- 12 gros œufs
- 6 gros croissants coupés en deux
  et légèrement grillés
- 240 g (½ lb) de saumon fumé en tranches
- 60 g (2 oz) d'œufs de saumon (facultatif)

6 premiers. Enlever la poêle du feu. Si les œufs tiédissent, les réchauffer dans l'eau chaude ou les mettre 5 min au four à 120 °C (250 °F).

FINITION

Éponger délicatement les œufs sur du papier absorbant pour retirer l'excès d'eau. Placer une moitié de croissant, côté coupé vers le haut, dans chacune des 6 assiettes réchauffées. Couvrir généreusement de saumon fumé. Déposer un œuf poché chaud sur les croissants et napper de sauce hollandaise à l'aneth. Garnir chaque œuf d'une bonne cuillerée d'œufs de saumon le cas échéant et terminer par un brin d'aneth.

Pouding au pain challa, saumon fumé et sauce à la truffe blanche à la ciboulette

6 portions

Le challa est un pain aux œufs au levain servi traditionnellement aux soupers du vendredi dans les foyers juifs. Pour une recette plus raffinée, on peut enlever la croûte.

POUDINGS

• Dans une sauteuse, faire fondre à feu doux 2 c. à soupe de beurre. Ajouter l'oignon et faire revenir environ 10 min jusqu'à ce qu'il soit «fondu» (p. 15). Retirer du feu et réserver.

• Dans une petite casserole, chauffer la crème à feu moyen. (Elle doit juste atteindre le point d'ébullition.) Surveiller attentivement pour qu'elle ne déborde pas. Retirer de la chaleur. Une fois qu'une peau s'est formée sur la crème, après 5 à 7 min, la soulever à l'aide d'une cuillère ou d'une petite louche. Faire légèrement refroidir la crème.

• Placer les jaunes d'œuf dans un grand bol et bien mélanger au fouet. Ajouter la crème chaude, 60 ml (¼ tasse) à la fois, en fouettant bien après chaque ajout pour ne pas faire des œufs brouillés. Ajouter l'oignon et 50 g (¼ tasse) de ciboulette. Bien mélanger. Ajouter ensuite les cubes de challa et laisser reposer 30 min pour permettre au pain d'absorber le mélange. Saler et poivrer.

• Préchauffer le four à 150 °C (300 °F). Graisser 6 ramequins à bords lisses d'une contenance de 100 g (½ tasse) avec le beurre restant. Remplir à moitié chaque ramequin avec le mélange de pouding à pain. Parsemer le dessus d'une quantité égale de saumon. Finir par le mélange de pouding à pain. Déposer les ramequins sur un plat à cuisson rectangulaire. Verser l'eau bouillante dans le plat jusqu'à ce qu'elle arrive à mi-hauteur des bords des ramequins. Faire cuire 20 min environ. Ils sont meilleurs quand ils sont tout juste pris et que le saumon est réchauffé. (Il est extrêmement important d'utiliser un four bas et un bain-marie, sinon le mélange crème et œufs risque d'être granuleux.) Pour un four à convection, réduire la chaleur à 135 °C (275 °F).

• Pendant la cuisson des poudings, préparer la sauce à la truffe blanche et à la ciboulette. Dans une petite casserole, mélanger à feu doux le

INGRÉDIENTS

• 3 c. à soupe de beurre non salé
• 150 g (¾ tasse) d'oignon doux coupé en petits dés
• 375 ml (1 ½ tasse) de crème épaisse
• 6 gros œufs
• 20 g (½ tasse) de ciboulette fraîche émincée
• 400 g (2 tasses) de challa sans croûte coupé en cubes de 1,25 cm (½ po)
• Gros sel et poivre du moulin
• 240 g (½ lb) de saumon fumé coupé en dés de 1,5 cm (⅜ po)
• Eau bouillante si nécessaire

**SAUCE AU BEURRE À LA TRUFFE BLANCHE
ET À LA CIBOULETTE**

- 125 ml (½ tasse) de bouillon de poulet maison ou de bouillon en conserve léger et faible en sel
- 2 c. à soupe d'huile à la truffe blanche
- 1 bouquet de ciboulette fraîche émincé
- 1 tomate mûrie sur pied, pelée, épépinée et coupée en dés
- 4 c. à soupe de beurre non salé
- Gros sel et poivre du moulin
- Ciboulette fraîche émincée

bouillon de poulet et l'huile de truffe blanche. Laisser cuire 10 min environ, le temps que le mélange ait réduit d'un tiers. Ajouter la ciboulette et la tomate et laisser frémir l'eau 5 min environ en baissant légèrement le feu. Incorporer en fouettant le beurre, 1 c. à soupe à la fois, jusqu'à ce que le mélange soit bien homogène, ce qui devrait prendre environ 5 min. Saler et poivrer au goût. Maintenir au chaud à feu très doux en utilisant un diffuseur à chaleur au besoin.

FINITION

- Quand les poudings sont prêts, les sortir du four et les laisser refroidir légèrement sur une grille pendant environ 10 min. À l'aide d'un couteau tranchant, détacher les côtés de chaque pouding de son ramequin et le faire tomber dans la paume pour le retourner ensuite sur un plat de service (bord croûté sur le dessus). À l'aide d'une cuiller, napper les poudings de sauce et les décorer d'une pincée de ciboulette.

SANDWICHES ET SALADES

La spécialité de Max & Me

Un sandwich nourrissant et délicieux pour le déjeuner. La salade de poisson blanc se vend toute préparée mais, si vous la faites vous-même, utilisez votre fromage suisse préféré.

• Tartiner de fromage à la crème la moitié de chaque biali et étaler la salade de poisson blanc sur l'autre. (Ces ingrédients sont la «colle» qui tient ensemble les morceaux de cet épais sandwich.) Déposer le saumon sur la moitié tartinée au fromage à la crème et empiler par-dessus le fromage suisse, la tomate, l'oignon et les câpres. Saler et poivrer au goût. Recouvrir avec la seconde moitié tartinée au poisson blanc et déguster immédiatement.

CONSEIL DU CHEF

• Montez les sandwiches à la dernière minute pour préserver en les alternant les textures yin et yang des ingrédients : croustillant, croustillant ; tendre, tendre ; frais, frais.

- 240 g (8 oz) de fromage à la crème
- 6 blalis (ou bagels) coupés en deux et légèrement grillés
- 240 g ($^1/_2$ lb) de salade de poisson blanc
- 240 g ($^1/_2$ lb) de saumon fumé coupé en tranches
- 120 g ($^1/_4$ lb) de fromage suisse finement tranché
- 2 grosses tomates mûries sur pied coupées en tranches de 6 mm ($^1/_4$ po)
- 1 gros oignon rouge coupé en tranches de 3 mm ($^1/_8$ po)
- 2 c. à soupe de câpres
- Gros sel et poivre du moulin

Salade de poisson blanc

INGRÉDIENTS

- 1 petit poisson blanc entier fumé, de 240 g à 1,5 kg (½ à 3 lb)
- 2 c. à soupe de mayonnaise (p. 14)
- 1 c. à soupe de yogourt nature, au besoin
- 1 c. à café (1 c. à thé) de jus de citron frais
- 10 g (¼ tasse) de ciboulette ou d'oignon vert frais émincé
- Gros sel et poivre du moulin

PRÉPARATION

Vous pouvez servir cette salade avec la Spécialité de Max & Me ou dans un buffet. Dans ce cas, retirer délicatement la peau du poisson pour le garder intact et décorer la peau avec la salade.

• Enlever la peau du poisson et prélever soigneusement la chair de l'arête centrale en jetant les morceaux sombres. Séparer la chair en gros morceaux (on doit obtenir 200 g/1 tasse environ) et les mettre dans un bol. Ajouter 2 c. à soupe de mayonnaise, le yogourt, le jus de citron et la ciboulette et bien mélanger. Saler et poivrer au goût. Pour une salade de poisson blanc plus onctueuse, ajouter plus de yogourt ou de mayonnaise.

Focaccia au saumon fumé, brie onctueux, oignons caramélisés et œufs de saumon

INGRÉDIENTS

- 2 c. à soupe de beurre non salé
- 1 gros oignon doux finement émincé
- 6 focaccias carrées de la taille d'un sandwich coupées en deux à l'horizontale
- 240 g (½ lb) de brie onctueux à température ambiante
- 480 g (1 lb) de saumon fumé en tranches
- 1 gros bulbe de fenouil ou 2 fenouils moyens, tiges et frondes enlevées, coupés en tranches extrafines à l'aide d'une mandoline ou d'un robot culinaire
- 60 g (2 oz) d'œufs de saumon
- Gros sel et poivre du moulin

PRÉPARATION

Ce sandwich est une joie pour le palais et encore meilleur si vous utilisez votre focaccia artisanale préférée. Pour des bouchées, faire de petits triangles décorés avec des œufs de saumon et des frondes de fenouil.

- Dans une sauteuse, faire fondre le beurre à feu moyen. Ajouter l'oignon et laisser cuire 10 à 15 min, en remuant de temps à autre, jusqu'à ce qu'il caramélise et devienne brun doré. On peut accélérer le processus en augmentant le feu en faisant attention que l'oignon ne brûle pas. Retirer du feu et réserver.

- Mettre sur une planche à découper les demi-focaccias, mie vers le haut. Parsemer chaque tranche d'une quantité égale de fromage. Parsemer les oignons caramélisés sur le fromage. Recouvrir avec le saumon fumé. Disposer les tranches de fenouil sur le saumon et terminer par 1 c. à café (1 c. à thé) d'œufs de saumon. Saler et poivrer légèrement et recouvrir de l'autre moitié de focaccia. Découper en biais et servir.

CONSEIL DU CHEF

- Pour faire de très bons sandwiches, il faut du très bon pain! Les boulangeries artisanales se multiplient dans le Nouveau Monde et les Nord-Américains prennent modèle sur les petites boulangeries européennes qui font trois fournées par jour. En Europe comme en Amérique du Nord, les artisans utilisent des levures naturelles et des ingrédients organiques et façonnent les pains à la main.

Pain de blé entier au saumon fumé et à l'avocat

6 portions

Ici, l'Est rencontre l'Ouest et le saumon fumé rencontre ses légumes! Ce sandwich santé peut se servir avec des chips de légumes assortis.

HOUMMOS

- Égoutter les pois chiches, réserver le liquide pour allonger l'hoummos si besoin est. À l'aide d'une passoire, rincer les pois chiches sous l'eau froide. Dans un robot de cuisine, combiner les pois chiches, le tahini, le jus de citron, l'ail et le cumin et actionner quelques fois. Continuer à actionner tout en ajoutant lentement un mince filet d'huile d'olive. Saler et poivrer au goût. L'hoummos doit avoir la consistance d'une pâte à tartiner. S'il est trop épais, l'allonger avec une petite quantité du liquide des pois chiches réservé à cet effet.

- Mettre les tranches de pain sur une planche à découper. Tartiner chaque tranche avec 1 à 2 c. à soupe d'hoummos. Recouvrir 6 tranches de saumon fumé. Couvrir avec les avocats, les tomates et terminer par les germes. Couvrir avec les tranches qui restent. Couper en biais et servir.

HOUMMOS

- 400 g (2 tasses) de pois chiches en conserve
- 1 c. à soupe de tahini (pâte de graines de sésame)
- Jus d'un citron
- 2 c. à soupe d'ail émincé
- 1 c. à café (1 c. à thé) de graines de cumin grillées et fraîchement moulues (p. 15)
- 125 ml (½ tasse) d'huile d'olive extravierge
- Gros sel et poivre du moulin

- 12 tranches de pain de grains de blé entier
- 480 g (1 lb) de saumon fumé en tranches
- 2 avocats mûrs coupés en deux, dénoyautés, pelés et finement tranchés (p. 12)
- 2 grosses tomates mûries sur pied ou 3 moyennes
- 1 barquette de germes (luzerne, soja, tournesol, trèfle, etc.)

Croque-monsieur au saumon fumé

INGRÉDIENTS

- 8 c. à soupe de beurre non salé à température ambiante
- 1 oignon doux finement émincé
- 12 tranches de brioche ou de pain blanc de campagne
- 12 fines tranches de fontina
- 240 g (½ lb) de saumon fumé en tranches

PRÉPARATION

Si vous ne trouvez pas de fromage fontina, vous pouvez le remplacer par un fromage du même genre et qui fond de la même manière.

• Dans une petite sauteuse, faire fondre 2 c. à soupe de beurre à feu doux. Ajouter l'oignon et le faire cuire environ 10 min, jusqu'à ce qu'il soit «fondu» (p. 15). Retirer du feu et réserver.

• Placer les tranches de pain sur une planche à découper et beurrer légèrement. Placer une tranche de fontina sur chaque morceau de pain. Finir par l'oignon et diviser de façon égale.

• Préchauffer le four à 95 °C (200 °F). Dans une grande sauteuse antiadhésive, faire fondre 2 c. à soupe de beurre à feu très doux. En travaillant par petites quantités, placer dans la sauteuse les tranches de pain, côté fromage vers le haut, et chauffer jusqu'à ce que le fromage soit fondu, en rajoutant plus de beurre si nécessaire. Au fur et à mesure que les tranches de pain sont prêtes, les déposer sur une plaque à biscuits et les garder au chaud dans le four. Retourner 6 des tranches de la planche à découper et les garnir de saumon fumé. Recouvrir avec les tranches restantes, fromage vers le bas. Couper en biais et servir.

Pain aux raisins dorés et au fenouil avec saumon fumé et figues

6 portions

Un bon pain artisanal aux noix et raisins fera l'affaire. Ici, c'est le contraste salé-sucré qui prime. Pour une touche de luxe, utilisez un fromage triple crème.

• Préchauffer le four à 190 °C (375 °F). Placer les tranches de pain sur une plaque à biscuits et les faire griller 3 à 4 min au four de chaque côté jusqu'à ce qu'elles soient légèrement brunes. Cela rehaussera le goût de ce pain merveilleux. Placer les tranches grillées sur la planche à découper. Tartiner la moitié des tranches grillées de fromage bleu. Déposer une couche de saumon fumé, de figues tranchées et de cresson. Saler et poivrer légèrement. Au goût, arroser d'un filet d'huile d'olive extravierge qui «réveillera» ce sandwich. Couvrir avec les tranches qui restent, couper le sandwich en biais et servir.

INGRÉDIENTS

- 1 gros pain au fenouil et aux raisins dorés coupés en 12 tranches
- 360 g ($^3/_4$ lb) de fromage bleu crémeux à température ambiante
- 240 g ($^1/_2$ lb) de saumon fumé coupé en tranches
- 12 figues mûres coupées en trois à partir de la base
- 1 botte de cresson équeutée
- Gros sel et poivre du moulin
- Huile d'olive extravierge (facultatif)

Salade de pomme de terre au saumon fumé, échalotes caramélisées, herbes fraîches et fleur de sel

INGRÉDIENTS

- 950 g (2 lb) de pommes de terre Fingerling ou d'autres petites pommes de terre à bouillir, avec leur peau
- Gros sel

SAUCE À L'ÉCHALOTE
- 1 c. à soupe de beurre non salé
- 4 grosses échalotes finement émincées
- 60 ml (¼ tasse) de vinaigre balsamique
- 1 c. à soupe de moutarde de Dijon
- 125 ml (½ tasse) d'huile d'olive extravierge
- Gros sel et poivre du moulin

- 1 botte de ciboulette fraîche
- 1 botte d'aneth frais
- 1 botte de cerfeuil frais
- 240 g (½ lb) de saumon fumé en tranches, coupé en julienne
- Fleur de sel (voir p. 14) ou gros sel

PRÉPARATION

La meilleure fleur de sel provient des marais salants de l'île de Ré, sur la côte atlantique française. Son parfum est inimitable.

POMMES DE TERRE

- Mettre les pommes de terre dans une casserole, les couvrir d'eau froide et ajouter une pincée de sel. Porter à ébullition à feu vif puis laisser mijoter à découvert 15 à 20 min jusqu'à ce qu'une fourchette pénètre dans la chair. Égoutter et laisser refroidir.

SAUCE À L'ÉCHALOTE

- Dans une petite sauteuse, faire fondre le beurre à feu moyen-doux. Lorsqu'il mousse, ajouter les échalotes puis, à feu moyen, laisser cuire de 5 à 7 min jusqu'à ce que les échalotes soient brun doré. Ajouter le vinaigre balsamique et continuer la cuisson à feu doux jusqu'à ce que la préparation ait réduit de moitié. Verser dans un petit bol et laisser refroidir. Ajouter la moutarde, incorporer l'huile d'olive, saler et poivrer au goût.

- Réserver quelques belles échalotes entières, des brins d'aneth et les branches de cerfeuil pour la décoration puis émincer la ciboulette, l'aneth et le cerfeuil restants. Couper les pommes de terre en rondelles d'environ 1,25 cm (½ po) d'épaisseur et les placer dans un grand bol. Ajouter la sauce à l'échalote et les fines herbes émincées et mélanger sans hâte.

FINITION

- Placer les tranches de pommes de terre au centre de 6 assiettes en faisant des parts égales. Mettre le saumon par-dessus. Sur chaque assiette, disposer joliment les fines herbes réservées et saupoudrer d'une pincée de fleur de sel.

CONSEIL DU CHEF

- Lorsque vous faites des salades, utilisez toujours un vinaigre balsamique de la meilleure qualité et la meilleure huile d'olive extravierge que vous pouvez vous permettre. Vous goûterez littéralement la différence.

Frisée aux lardons de saumon fumé, vinaigrette aux noix crémeuse

6 portions

J'utilise ici une huile d'olive neutre et de l'huile de noix qui doit dominer. Les feuilles jaunes et tendres d'une chicorée peuvent remplacer la frisée.

VINAIGRETTE

• Dans un petit bol en acier inoxydable, mélanger le vinaigre de xérès et l'échalote et laisser reposer 15 min. En fouettant, ajouter la moutarde, l'huile d'olive, l'huile de noix puis la crème. Saler et poivrer au goût. Laisser reposer au moins 30 min. (Cette vinaigrette peut être préparée une journée à l'avance. Il suffit de la conserver au réfrigérateur et de la fouetter juste avant de s'en servir.)

• Préchauffer le four à 180 °C (350 °F). Déposer les noix sur une plaque à biscuits et les faire griller au four jusqu'à ce qu'elles dégagent leur parfum et commencent à se colorer, soit au bout de 10 min environ, en les secouant une ou deux fois. Verser dans une assiette et réserver.

• Pendant ce temps, amener une grande casserole d'eau à ébullition. Saler et attendre un moment avant d'y jeter les haricots verts. Faire cuire environ 3 min à gros bouillons jusqu'à ce qu'ils soient cuits au goût. Idéalement, ils devraient être *al dente,* mais certaines personnes les préfèrent un peu plus cuits. Les égoutter et les plonger dans de l'eau glacée pour arrêter la cuisson, égoutter encore et sécher complètement. Réserver.

FINITION

• Dans un grand saladier, mélanger la laitue, les haricots verts et les noix. Ajouter suffisamment de vinaigrette (la moitié environ) pour les recouvrir sans les saturer et bien remuer la salade. (Il ne faut pas oublier qu'il s'agit d'une vinaigrette épaisse et que le vinaigre épaissit la crème.) En rajouter au besoin. Diviser la salade en 6 parts égales. Décorer avec les lardons de saumon.

INGRÉDIENTS

VINAIGRETTE

- 2 c. à soupe de vinaigre de xérès
- 1 échalote moyenne finement émincée
- 1 c. à soupe de moutarde de Dijon
- 6 c. à soupe d'huile d'olive
- 1 c. à soupe d'huile de noix
- 60 ml (¼ tasse) de crème épaisse
- Gros sel et poivre du moulin

- 60 g (½ tasse) de moitiés de noix
- 1 c. à café (1 c. à thé) de gros sel
- 480 g (1 lb) de haricots verts
- 480 g (1 lb) de laitue frisée, feuilles séparées
- 240 g (½ lb) de saumon fumé, coupé en lanières étroites (en lardons) de 5 cm (2 po) de long sur 6 mm (¼ po) d'épaisseur

Salade niçoise au saumon fumé en sauce verte accompagnée de haricots verts, tomates cerises et pommes de terre grelots

INGRÉDIENTS

- 480 g (1 lb) de pommes de terre grelots ou de petites pommes de terre rouges de 2,5 à 5 cm (1 à 2 po) de diamètre
- Gros sel
- 480 g (1 lb) de haricots verts

SAUCE VERTE
- 250 ml (1 tasse) de mayonnaise (p. 14)
- 1 botte de cresson grossièrement hachée
- 1 botte d'estragon frais grossièrement hachée
- 1 botte de ciboulette fraîche coupée en morceaux de 5 cm (2 po) de long
- 1 c. à soupe de moutarde de Dijon
- 1 c. à café (1 c. à thé) de jus de citron
- Gros sel et poivre du moulin

- 480 g (1 lb) de saumon fumé coupé en 6 rectangles égaux
- 2 cœurs de jeune laitue feuilles de chêne rouges, effeuillés
- 1 barquette de tomates cerises
- 200 g (1 tasse) d'olives niçoises

PRÉPARATION

Les trésors du jardin sont toujours une inspiration pour créer de nouveaux plats.

POMMES DE TERRE

- Mettre les pommes de terre dans une casserole recouverte d'eau froide et ajouter une pincée de sel. Amener à ébullition à feu vif, baisser le feu et laisser mijoter en poursuivant la cuisson à découvert 15 à 20 min. Les pommes de terre sont cuites lorsqu'une fourchette les transperce facilement. Égoutter et réserver.

PENDANT CE TEMPS, FAIRE CUIRE LES HARICOTS VERTS

- Porter une grande casserole d'eau à ébullition. Ajouter 1 c. à café (1 c. à thé) de sel, attendre un moment puis y jeter les haricots verts. Laisser cuire environ 3 min à gros bouillons jusqu'à ce qu'ils soient cuits au goût. Idéalement, ils doivent être *al dente,* mais certaines personnes les préfèrent un peu plus cuits. Égoutter, plonger dans l'eau glacée pour arrêter la cuisson, égoutter à nouveau et sécher complètement. Réserver.

SAUCE VERTE

- Dans un robot de cuisine, mettre la mayonnaise, le cresson, l'estragon, la ciboulette, la moutarde et le jus de citron. Actionner jusqu'à ce que le mélange soit onctueux et vert en arrêtant pour racler les parois au besoin. Saler et poivrer au goût.

FINITION

- Placer un rectangle de saumon sur le coin gauche supérieur de chacune des 6 assiettes. Déposer une poignée de la laitue à côté du saumon et disposer joliment les pommes de terre, les haricots verts, les tomates et les olives en couronne autour du saumon. Verser la sauce en biais sur le saumon et les légumes.

Salade de concombres au saumon fumé mariné avec aneth et oignon violet

6 portions

INGRÉDIENTS

- 1 gros concombre anglais ou 2 concombres moyens
- 1 bouquet d'aneth frais
- 12 feuilles de menthe fraîche
- 1 botte de ciboulette fraîche
- 250 ml (1 tasse) de crème sure
- 250 ml (1 tasse) de yogourt nature, libanais de préférence
- 1 petit oignon violet finement émincé
- 240 g (½ lb) de saumon fumé coupé en cubes de 1,25 cm (½ po)
- Gros sel et poivre du moulin

On peut remplacer le vrai yogourt libanais par du yogourt nature égoutté dans de l'étamine à fromage pendant au moins 30 min avant de servir. Pour des occasions spéciales, je décore ce plat de petits bouquets de fines herbes. Au printemps, j'ajoute de la ciboulette.

SALADE

• Peler les concombres et les couper en deux dans le sens de la longueur. Enlever les graines à l'aide d'une petite cuiller ou d'une cuiller parisienne. Déposer le côté plat des moitiés de concombres sur une planche à découper et les faire des tranches en biais de 6 mm (¼ po) d'épaisseur.

• Réserver 6 jolies branches d'aneth et de menthe et 6 ciboulettes entières et la partie supérieure 8 cm (3 po) de la ciboulette qui reste pour la décoration. Émincer ce qui reste d'aneth, de menthe et de ciboulette.

• Dans un grand bol, mélanger les tranches de concombres, toutes les fines herbes émincées, la crème sure, le yogourt, l'oignon et le saumon fumé. Bien mélanger, couvrir et mettre au réfrigérateur 30 min pour laisser les saveurs se marier.

BOUQUETS DE FINES HERBES

• Former 6 petites bottes en utilisant les brins d'aneth et de menthe ainsi que la ciboulette coupée. Les lier avec un brin de ciboulette entier. Couper droit aux ciseaux les bouts qui dépassent. Asperger le bouquet de quelques gouttes d'eau froide et mettre au réfrigérateur dans un petit sac en plastique ou dans un contenant jusqu'à l'emploi.

POUR SERVIR

• Saler et poivrer la salade au goût, les monter sur 6 assiettes et décorer avec les bouquets de fines herbes.

Salade de roquette au saumon fumé et gâteaux de pommes de terre au fromage de chèvre

GÂTEAUX DE POMMES DE TERRE

- 2 pommes de terre russet grosses ou moyennes pelées et coupées en tranches fines, de préférence à la mandoline
- 4 c. à soupe de beurre non salé, fondu et débarrassé de sa mousse
- Gros sel et poivre du moulin

VINAIGRETTE

- 1 c. à soupe de moutarde de Dijon
- 1 c. à soupe de vinaigre de xérès
- Gros sel et poivre du moulin
- 60 ml (¼ tasse) d'huile d'olive extravierge

- 120 g (¼ lb) de fromage de chèvre frais, coupé en 6 tranches égales, à température ambiante
- 12 tranches de saumon fumé
- 2 grosses bottes de roquette ou de cresson, débarrassées des grosses tiges
- 6 capucines ou autres fleurs comestibles non traitées, telles que bourrache ou soucis (facultatif)

Les végétariens pourront savourer cette recette en se passant du saumon.

GÂTEAUX DE POMMES DE TERRE

- Préchauffer le four à 180 °C (350 °F). Bien éponger les tranches de pommes de terre pelées entre deux feuilles de papier absorbant. Recouvrir 2 plaques de four avec du papier sulfurisé (ou utiliser 2 plaques antiadhésives) et badigeonner au pinceau avec le beurre fondu. Former 12 petits gâteaux sur les plaques. Commencer avec une tranche de pommes de terre en faisant se chevaucher les tranches jusqu'à l'obtention d'un gâteau d'environ 12 cm (5 po) de diamètre (à raison de 6 tranches par gâteau). Badigeonner le dessus des gâteaux avec le beurre fondu restant, saler et poivrer au goût. Cuire au four environ 15 min jusqu'à ce que les gâteaux soient brun doré. À l'aide d'une spatule, transférer les gâteaux sur du papier absorbant.

- Dans un petit bol, à l'aide d'un fouet, mélanger la moutarde, le vinaigre, le sel et le poivre. Rectifier l'assaisonnement et réserver.

- Baisser le four à 95 °C (200 °F). Déposer 6 des gâteaux de pommes de terre sur la plaque recouverte de papier sulfurisé. Les recouvrir d'une tranche de fromage de chèvre et faire chauffer au four 3 min, le temps que le fromage ramollisse. Défourner et couvrir les tranches de fromage de 2 tranches de saumon fumé. Terminer en recouvrant avec les gâteaux qui restent.

- Dans un grand bol, mélanger la roquette à la vinaigrette. Répartir dans 6 assiettes et placer un gâteau de pommes de terre au centre. Décorer avec une fleur, au choix.

PLATS PRINCIPAUX

Fajitas au saumon fumé, oignons grillés, poivrons, salsa et guacamole

6 portions

Une recette estivale inspirée par la vie au grand air.

MARINADE

• Dans un grand bol, fouetter ensemble tous les ingrédients, y compris le sel et le poivre (au goût). Couper chaque morceau de saumon en 3 portions égales. Mettre dans la marinade et retourner pour que le saumon s'imprègne bien du mélange. Couvrir et laisser mariner au réfrigérateur de 20 à 30 min.

SALSA

• Dans un petit bol, mélanger doucement tous les ingrédients, y compris le sel et le poivre (au goût). Réserver au moins 30 min pour que les saveurs se marient bien.

GUACAMOLE

• Dans un petit bol, combiner tous les ingrédients. Mélanger comme il faut. Rectifier l'assaisonnement et réserver.

LÉGUMES

• Couper les oignons en deux à la verticale. Éliminer les radicelles et couper chaque moitié en tranches de 1,25 cm (½ po) d'épaisseur. Dans un petit bol, remuer les tranches d'oignon dans la moitié de l'huile d'olive. Assaisonner avec une pincée de cumin, saler et poivrer au goût. Dans un second bol, combiner les poivrons. Mélanger avec le restant d'huile d'olive et assaisonner avec une autre pincée de cumin, en salant et en poivrant au goût. Dans un gril allant sur la cuisinière (ou un gril à gaz ou à charbon), faire cuire les légumes à feu moyen-vif 7 à 10 min, le temps qu'ils se colorent et commencent à ramollir un peu.

INGRÉDIENTS

MARINADE

• Jus de 2 citrons verts
• 2 c. à café (2 c. à thé) de graines de cumin fraîchement grillées (p. 15)
• 1 piment jalapeño émincé
• 1 grosse gousse d'ail émincée
• 60 ml (¼ tasse) d'huile d'olive
• Gros sel et poivre du moulin

• 3 filets de saumon fumé au wok de 180 g (6 oz) chacun, coupés en deux dans le sens de la longueur

SALSA

• 2 tomates mûries sur pied coupées en dés de 6 mm (¼ po)
• ½ petit oignon violet coupé en dés fins
• 1 gros piment jalapeño émincé
• ½ botte de coriandre fraîche hachée
• Jus d'un citron vert
• Gros sel et poivre du moulin

GUACAMOLE

• 2 avocats mûrs à la peau vert foncé coupés en deux, dénoyautés, pelés et coupés en dés de 6 mm (¼ po) (p. 12)
• 100 g (½ tasse) d'oignon violet coupé en petits dés
• 1 gros piment jalapeño émincé
• ½ botte de coriandre fraîche hachée
• Jus d'un demi-citron vert
• Gros sel

- 2 oignons doux
- 4 c. à soupe d'huile d'olive
- 2 grosses pincées de graines de cumin
  fraîchement moulues et rôties (p. 15)
- Gros sel et poivre du moulin
- 2 poivrons rouges épépinés et coupés
  en lanières
- 2 poivrons jaunes épépinés et coupés
  en lanières
- 6 tortillas de 25 cm (10 po) de diamètre
- 125 ml (½ tasse) de crème sure
- 6 branches de coriandre fraîche

TORTILLAS

• Préchauffer le four à 90 °C (200 °F). Envelopper les tortillas dans un linge à vaisselle propre, humecté et sans peluches. Mettre les tortillas ainsi enveloppées sur une plaque allant au four et les laisser au four environ 20 min, le temps qu'elles se réchauffent. Elles ne doivent pas se dessécher.

• En travaillant en petites quantités, faire cuire légèrement dans la poêle (ou sur un gril à charbon ou à gaz) les morceaux de saumon à feu moyen, en tournant une fois, le temps de bien réchauffer la chair et d'imprimer les marques du gril en n'allouant pas plus de 2 min par côté. Une fois l'opération terminée, transférer dans un plat allant au four et placer dans le four chaud.

ASSEMBLAGE

• Servir 1 tortilla chaude dans chacune des 6 assiettes. Placer 1 morceau de saumon au centre de chaque tortilla et recouvrir d'une sixième des poivrons et des oignons. Déposer sur chaque fajita 1 c. à soupe comble de guacamole et de salsa et une bonne cuillerée de crème sure. Garnir chaque assiette avec un beau brin de coriandre. Servir avec le guacamole et la salsa restants.

Risotto au saumon fumé en mousse de pétoncles au vermouth et friture de poireaux

6 portions

Le saumon frais ainsi chauffé fond littéralement dans la bouche. Le secret pour un risotto qui n'attache pas est de faire rissoler les grains de riz.

MOUSSE DE PÉTONCLES AU VERMOUTH

• Dans une casserole, faire fondre le beurre à feu doux. Lorsque la mousse commence à se former, ajouter les échalotes et les champignons et laisser cuire environ 5 min, le temps qu'ils prennent une couleur brun doré. Ajouter les pétoncles et les laisser cuire 10 à 15 min, jusqu'à ce qu'ils dégorgent leur eau et que le liquide réduise et devienne sirupeux. Remuer les pétoncles une ou deux fois pendant la cuisson pour concentrer leur saveur, les colorer légèrement et les faire sécher. Ajouter ensuite le vermouth et laisser cuire lentement – le liquide de la poêle doit encore réduire et former un sirop. Verser la crème épaisse et la crème légère. À feu très doux, faire mijoter 20 à 30 min. Le mélange aura réduit environ de moitié et aura légèrement épaissi. Passer le liquide dans un chinois très fin ou un tamis standard doublé de toile à fromage et réserver. Jeter le contenu du chinois.

POIREAUX

• Couper et jeter les extrémités vertes des poireaux (ou les garder pour faire un bouillon). Couper les blancs en deux dans le sens de la longueur en rinçant bien sous l'eau froide. Couper des morceaux de 8 cm (3 po) de long. En prendre 2 ou 3, les empiler sur une planche à découper et les couper en julienne. Les plonger dans un bol d'eau chaude et les faire tremper 10 min. À l'aide d'une écumoire, les sortir délicatement pour ne pas troubler le fond de l'eau où la terre et le sable se sont déposés et plonger les poireaux dans un second bol d'eau chaude. Laisser tremper 10 min supplémentaires. Recommencer jusqu'à ce que l'eau de trempage soit claire. Sortir ensuite les poireaux de l'eau et les égoutter dans une passoire puis les faire sécher dans une essoreuse à salade ou les déposer sur du papier absorbant. Dans une petite casserole à fond épais, verser l'équivalent de 8 cm (3 po) d'huile d'arachide et chauffer à 160 °C (325 °F). En travaillant en plusieurs fois, faire frire 2 ou 3 min

MOUSSE DE PÉTONCLES AU VERMOUTH

- 1 c. à soupe de beurre non salé
- 2 grosses échalotes finement émincées
- 4 champignons brossés, équeutés, chapeaux finement tranchés
- 240 g (½ lb) de pétoncles géants
- 375 ml (1 ½ tasse) de vermouth sec
- 250 ml (1 tasse) de crème épaisse
- 250 ml (1 tasse) de crème légère

- 2 grosses bottes de poireaux ou 4 petites
- Huile d'arachide pour la friture
- Gros sel et poivre du moulin
- 7 c. à soupe de beurre non salé
- 1 oignon doux coupé en petits dés
- 400 g (2 tasses) de riz arborio
- 250 ml (1 tasse) de chardonnay
- 2,5 à 3 litres (10 à 12 tasses) de bouillon de poulet maison ou de bouillon de poulet léger en conserve, peu salé, réchauffé
- 250 ml (1 tasse) de crème épaisse
- 240 g (¹/₂ lb) de saumon fumé coupé en cubes de 9 mm (³/₈ po)
- 120 g (4 oz) d'œufs de saumon (facultatif)

les poireaux dans l'huile chaude jusqu'à ce qu'ils dorent légèrement. À l'aide d'une araignée à friture ou d'une écumoire, transférer les poireaux sur du papier absorbant pour les égoutter. Tandis qu'ils sont encore chauds, saler et poivrer au goût. Garder au chaud jusqu'à l'emploi. (On peut frire les poireaux à l'avance mais pas plus de 30 min avant de les utiliser.)

RISOTTO

• Dans une sauteuse de 30 cm (12 po), faire fondre 3 c. à soupe de beurre à feu doux. Ajouter l'oignon et faire cuire lentement pendant 10 min, le temps qu'il soit bien ramolli. Ajouter ensuite le riz et faire rissoler les grains dans le beurre. Cuire 5 min sans cesser de remuer. Ajouter le vin et faire réduire jusqu'à ce que le mélange soit sec. Ajouter lentement 250 ml (1 tasse) de bouillon de poulet chaud en remuant constamment. Lorsque le bouillon est pratiquement absorbé, rajouter encore 250 ml (1 tasse). Continuer ainsi en attendant chaque fois que la quantité de bouillon soit bien absorbée et jusqu'à ce que le riz soit tendre tout en restant ferme au centre *(al dente)* et que le mélange soit crémeux, ce qui prend en tout de 17 à 20 min. Lorsque le riz est prêt, hors du feu incorporer la crème en remuant ainsi que les 4 c. à soupe de beurre restant, une à une, en fouettant comme il faut entre chaque nouvelle cuillerée. Saler et poivrer au goût et garder au chaud.

MOUSSE

• Réchauffer à feu doux le liquide pétoncles-vermouth jusqu'à ce qu'il mijote à peine. Rectifier l'assaisonnement. À l'aide d'un mélangeur à immersion, faire mousser le liquide en faisant bien pénétrer l'air.

POUR SERVIR

• À l'aide d'une cuiller, disposer le risotto au centre de chacun des 6 grands bols à soupe. Répartir une quantité égale de saumon dans chacun des bols et en parsemer le risotto. Servir à la cuiller de la mousse de pétoncle et décorer avec les poireaux frits et des œufs de saumon.

Filet de saumon fumé rôti sur lit de lentilles, sauce au beurre raifort-bacon

6 portions

Apprêtez les lentilles qui restent en potage, avec du bouillon de poulet ou en salade, avec une vinaigrette. Les lentilles accompagnent merveilleusement poulet, viande et poisson.

LENTILLES

• Dans une grande casserole, combiner le bacon et le beurre et faire fondre le bacon à feu moyen. Ajouter l'oignon, la carotte et le céleri et poursuivre la cuisson 10 à 15 min en remuant de temps à autre jusqu'à ce que les légumes soient légèrement caramélisés. Plus la cuisson des légumes sera longue, plus les lentilles seront parfumées. Ajouter ensuite 1 gousse d'ail écrasée, mélangée à ¼ c. à café (¼ c. à thé) de sel. Ajouter les lentilles et remuer pour qu'elles soient bien enduites. Verser le bouillon de poulet, couvrir et ajouter la purée de tomate, le bouillon de veau et le bouquet garni. Bien remuer. Faire bouillir légèrement à couvert puis laisser cuire à feu doux 45 à 50 min jusqu'à ce que les lentilles soient tendres. Vérifier de temps à autre et ajouter un peu de liquide (bouillon de poulet ou eau) au besoin. Les lentilles doivent toujours être recouvertes de liquide. Saler et poivrer au goût et réserver.

SAUCE AU BEURRE AU RAIFORT

• Dans une petite sauteuse, faire fondre le bacon à feu moyen. Retirer le gras du bacon. Ajouter le bouillon de poulet et le raifort et faire réduire de moitié 5 à 7 min à feu moyen-doux. Incorporer le beurre au fouet, 1 c. à soupe à la fois, en fouettant bien entre chaque ajout jusqu'à complète absorption. Saler et poivrer au goût.

INGRÉDIENTS

LENTILLES

- 120 g (¼ lb) de bacon fumé au hickory, coupé en petits dés
- 1 c. à soupe de beurre non salé
- 1 petit oignon jaune, en dés de 6 mm (¼ po)
- 1 carotte pelée et coupée en dés de 6 mm (¼ po)
- 1 gousse d'ail
- Gros sel
- 1 boîte de 500 g (1 lb) de lentilles françaises, préférablement des lentilles du Puy, triées et rincées
- 2,25 litres (9 tasses) de bouillon de poulet maison ou du bouillon en conserve léger et peu salé
- 2 c. à soupe de purée de tomate
- 60 ml (¼ tasse) de bouillon de veau maison réduit ou 1 c. à soupe de bouillon du commerce
- 1 bouquet garni composé de 8 branches de thym et de 1 feuille de laurier, noué
- Poivre du moulin

SAUCE AU BEURRE AU RAIFORT

- 3 tranches de bacon
- 6 filets de saumon de 180 g (6 oz) chacun fumé au wok (p. 112)
- Gros sel et poivre du moulin
- 6 branches de thym frais ou de tiges de persil plat

• Préchauffer le four à 180 °C (350 °F). Dans une grande sauteuse, faire chauffer l'huile d'olive à feu vif jusqu'à ce qu'elle fume presque. Ajouter le saumon et le faire griller rapidement, en comptant 2 min pour chaque côté. Saler et poivrer légèrement et laisser le saumon au four 3 à 5 min pour le réchauffer.

FINITION

• Étaler une généreuse cuillerée de lentilles chaudes – environ 115 g (¾ tasse) dans chacune des 6 assiettes. Disposer au centre un filet de saumon et, à l'aide d'une cuiller, verser la sauce au beurre au raifort autour des lentilles. Décorer chaque assiette d'une branche de thym.

Saumon fumé au wok, façon express

6 portions

PRÉPARATION

INGRÉDIENTS

- 6 filets de saumon de 180 g (6 oz) chacun
- 200 g (1 tasse) de gros sel
- 50 g (¼ tasse) de sucre granulé
- 2 litres (8 tasses) d'eau

La cuisson accentue le goût salé du saumon fumé qui est traditionnellement servi froid. Dans les recettes de saumon fumé cuit présentées dans les chapitres précédents, le sel du poisson fumé est neutralisé par les petites quantités utilisées par rapport aux autres ingrédients. Aussi, lorsqu'on a besoin de quantités plus importantes de saumon, comme c'est le cas dans certains des plats principaux proposés ici, je traite les filets de saumon frais dans une saumure rapide et je les fume rapidement. J'ai eu beaucoup de succès avec le wok. Voici comment créer votre propre fumoir sur la cuisinière, il vous faut un grand wok avec son couvercle, et un collier (qui sert à le surélever par rapport au brûleur), une grille circulaire en métal pour les gâteaux légèrement plus grands que le diamètre du wok et des copeaux de bois de votre choix (un bon mélange: pommier, hickory et chêne).

• Passer vos doigts le long des côtés de chaque filet et, à l'aide de pinces à bouts recourbés, enlever les arêtes que vous trouverez. Dans un grand bol, incorporer à l'eau le sel et le poivre en fouettant. Disposer les filets de saumon dans le bol et laisser reposer 30 min à température ambiante. Retirer les filets de la saumure et sécher avec du papier absorbant.

• Déposer sur le dessus de la cuisinière le wok sur son collier. Déposer 200 g (1 tasse) de copeaux de bois au fond du wok. Placer la grille à gâteau en métal en travers de la partie supérieure du wok et badigeonner la grille d'huile végétale ou la vaporiser d'une huile pour poêle antiadhésive. Placer les filets de saumon sur la grille et couvrir avec le couvercle du wok. Réduire la chaleur à feu doux. (Pour qu'ils donnent le plus de saveur possible pendant la cuisson du poisson, les copeaux de bois doivent fumer.) Surveiller le poisson après 5 min en vous assurant qu'il se dégage bien de la fumée et que vous ne vous contentez pas de cuire le poisson. En l'absence de fumée, retirer le poisson du wok jusqu'à ce que les copeaux fument à profusion. Le fumage du saumon prend de 15 à 20 min. Idéalement, on doit pouvoir retirer le poisson du wok lorsqu'il est juste à point. Un bon indice: le poisson doit être ferme au toucher. Les couper selon les directives données dans chaque recette.

Escalopes de saumon fumé au napa caramélisé, sauce soja au beurre

INGRÉDIENTS

GROS SEL

- 1 petit chou napa, feuilles détachées
- 3 c. à soupe de beurre non salé

SAUCE SOJA AU BEURRE

- 250 ml (1 tasse) de bouillon de poulet maison ou de bouillon léger en conserve, faible en sel
- 2 c. à soupe de sauce soja
- 1 c. à café (1 c. à thé) d'huile de sésame rôti
- 6 c. à soupe de beurre non salé réfrigéré coupé en petits morceaux

- 6 filets de saumon fumé au wok de 180 g (6 oz) chacun (p. 112)
- 1 c. à soupe d'huile d'arachide
- Graines de sésame noires
- 2 oignons verts (jeter la racine et 2,5 cm/ 1 po de vert) ciselés en biais

PRÉPARATION

CHOU

- Préchauffer le four à 200 °C (400 °F). Porter à ébullition une grande casserole remplie d'eau. Ajouter une généreuse pincée de sel puis y jeter les feuilles de chou. Blanchir les feuilles 10 sec. Les sortir de la casserole et les plonger dans l'eau glacée pour arrêter la cuisson. Les sécher sur du papier absorbant. Couper les feuilles de chou en biais et former des lanières de 2,5 cm (1 po) de largeur.

- Dans une grande sauteuse antiadhésive, faire fondre 1 c. à soupe de beurre à feu moyen. Ajouter un tiers des lanières de chou et faire cuire 10 min environ jusqu'à ce qu'il prenne une teinte caramélisée (brun doré). Recommencer en deux fois avec les 2 c. à soupe de beurre et le chou qui restent en prenant soin de bien espacer les morceaux de chou. Les transférer au fur et à mesure dans un plat allant au four et les maintenir au chaud dans le four.

SAUCE SOJA AU BEURRE

- Dans une petite casserole, faire chauffer environ 10 min à feu doux le bouillon de poulet et le faire réduire de moitié. Ajouter la sauce soja et l'huile de sésame. À feu très doux, incorporer en fouettant le beurre réfrigéré un morceau à la fois en fouettant bien entre chaque ajout jusqu'à ce que le mélange soit homogène. Garder au chaud à feu le plus bas possible pour éviter que la sauce se décompose. Utiliser un diffuseur au besoin.

- Badigeonner les filets de saumon des deux côtés avec l'huile d'arachide. Dans une grande sauteuse antiadhésive, saisir les filets de saumon à feu moyen environ 2 min de chaque côté en les tournant une fois jusqu'à ce qu'ils prennent une belle couleur dorée.

FINITION

- Dresser des portions égales de chou au centre de 6 grandes assiettes. Déposer de façon asymétrique un filet de saumon sur chaque portion de chou. À l'aide d'une cuillère, étendre la sauce autour du chou et décorer avec des graines de sésame noires et des oignons verts.

Brochettes de saumon fumé glacées au cari avec oignons doux

6 portions

GLAÇAGE AU CARI

- 1 c. à soupe de beurre non salé
- 1 c. à soupe de cari
- 1 boîte de 165 g (5 ½ oz) d'ananas en morceaux
- 1 c. à café (1 c. à thé) de pâte de cari rouge
- 1 c. à café (1 c. à thé) de sauce Worcestershire
- 1 c. à café (1 c. à thé) de sucre
- 1 c. à soupe d'huile d'olive

- 720 g (1 ½ lb) de saumon fumé, coupé en 30 morceaux de 2,5 cm (1 po)
- 3 oignons doux coupés en 30 cubes de 2,5 cm (1 po)
- 2 c. à soupe d'huile d'olive
- 2 c. à soupe de beurre non salé
- 1 ananas pelé, évidé, coupé en 30 cubes de 2,5 cm (1 po)
- Coriandre fraîche

- Faire tremper 6 brochettes en bambou dans l'eau froide 30 min ou plus avant l'emploi

Utilisez des brochettes en métal ou en bambou. Laisser tremper ces dernières au moins 30 min avant emploi. Un riz vapeur (basmati ou parfumé au jasmin) est l'accompagnement idéal de ces délicieuses brochettes.

GLAÇAGE AU CARI

• Dans une petite sauteuse, faire fondre le beurre à feu moyen. Lorsqu'il commence à mousser, ajouter la poudre de cari. À feu doux, remuer sans arrêt pendant 30 sec. Transférer le mélange au cari dans un robot de cuisine ou un mélangeur en y ajoutant l'ananas en conserve et son jus, la pâte de cari, la sauce Worcestershire, le sucre et l'huile d'olive. Faire tourner jusqu'à ce que le mélange soit homogène. Laisser reposer au moins 15 min pour que les parfums se marient bien. Faire mariner les morceaux de saumon dans 4 c. à soupe de ce glaçage tout en préparant les ingrédients qui restent.

OIGNONS ET ANANAS

• Dans un bol, remuer les morceaux d'oignon avec l'huile d'olive. Dans une grande sauteuse, les faire sauter à feu moyen 5 à 7 min jusqu'à ce qu'ils soient légèrement ramollis. Retirer du feu et laisser refroidir.

• Dans une grande sauteuse, faire fondre le beurre à feu moyen. Lorsqu'il commence à mousser, ajouter les morceaux d'ananas frais et laisser cuire 1 min de chaque côté. Retirer du feu et laisser refroidir.

BROCHETTES

• Préparer un feu moyen-chaud dans un gril ou préchauffer un gril à gaz. Huiler la plaque du gril. Égoutter le saumon en réservant le glaçage et embrocher en alternance le saumon, l'oignon et les morceaux d'ananas. Badigeonner les brochettes avec le glaçage réservé. Griller 2 min environ en tournant une fois jusqu'à ce que la préparation soit saisie. Attention! Le saumon fumé ne doit pas cuire complètement.

POUR SERVIR

• Diviser les brochettes dans les 6 assiettes et déposer sur un lit de riz. Décorer avec la coriandre.

Saumon fumé et gâteaux de morue, sauce au maïs sucré

6 portions

Trois tailles pour les gâteaux de morue : un grand, deux moyens ou des petits que vous servirez en hors-d'œuvre. Vous trouverez du panko (miettes de pain japonaises assaisonnées) dans les épiceries orientales, mais des miettes de pain ordinaires feront l'affaire.

SAUMON FUMÉ ET GÂTEAUX DE MORUE

• Mettre les pommes de terre dans une casserole, les recouvrir d'eau froide et ajouter une pincée de sel. Faire bouillir à feu vif. Baisser le feu et faire cuire de 15 à 20 min à petits bouillons et à découvert jusqu'à ce qu'une fourchette s'enfonce. Égoutter les pommes de terre et les remettre dans la casserole. Les faire chauffer à feu moyen-bas 15 à 20 sec pour chasser l'excédent d'humidité. Réserver.

• Pendant que les pommes de terre cuisent, dans une petite casserole, faire chauffer à petit feu la crème légère avec une pincée de sel et de poivre. Retirer du feu et garder au chaud.

• Ajouter la crème légère chaude et 2 c. à soupe de beurre aux pommes de terre et les écraser grossièrement. (La purée ne doit pas être lisse. Il doit rester quelques morceaux de pommes de terre.)

• Dans une petite casserole, faire fondre les 4 c. à soupe de beurre qui restent à feu doux. Ajouter l'oignon et faire cuire 10 min jusqu'à ce qu'il soit «fondu» (p. 15). Réserver.

• Préchauffer le four à 180 °C (350 °F). Mettre la morue dans une petite rôtissoire et faire cuire à point, 15 min environ, selon la taille du filet. La chair doit s'effeuiller facilement. Défourner et laisser refroidir.

• Dans un grand bol, combiner les pommes de terre, l'oignon, la sauce Worcestershire, le tabasco, la moutarde et le persil. Bien mélanger. Ajouter l'œuf entier et le jaune d'œuf en mélangeant bien à nouveau. À l'aide d'une spatule en caoutchouc, incorporer la morue et le saumon sans trop mélanger. On doit voir des flocons de poisson. Saler et poivrer au goût. Couvrir et réfrigérer au moins 1 h.

• Avec le mélange de poisson réfrigéré, former 6 grands gâteaux ou 12 petits de 4 à 5 cm (de 1 ½ à 2 po) d'épaisseur. Saupoudrer les deux

INGRÉDIENTS

SAUMON FUMÉ ET GÂTEAUX DE MORUE

- 480 g (1 lb) de pommes de terre russet pelées et coupées en quatre
- Gros sel
- 60 ml (¼ tasse) de crème légère
- Poivre du moulin
- 6 c. à soupe de beurre non salé
- 1 oignon jaune coupé en petits cubes
- 480 g (1 lb) de filet de morue, sans la peau
- 1 c. à café (1 c. à thé) de sauce Worcestershire
- 1 c. à café (1 c. à thé) de sauce tabasco
- 2 c. à café (2 c. à thé) de moutarde de Dijon
- 1 petit bouquet de persil plat haché grossièrement
- 1 gros œuf entier + 1 gros jaune d'œuf
- 240 g (½ lb) de saumon fumé coupé en dés de 6 mm (¼ po)
- 400 g (2 tasses) de panko

SAUCE AU MAÏS SUCRÉ

- 6 c. à soupe de beurre non salé
- 100 g (½ tasse) d'oignon jaune coupé en petits dés
- Grains de 3 épis de maïs, soit 360 g (12 oz ou 1 ½ tasse) de grains de maïs congelés, décongelés
- 250 ml (1 tasse) de bouillon de poulet maison ou du bouillon léger en conserve faible en sel
- 60 ml (¼ tasse) de crème épaisse
- Gros sel et poivre du moulin

- Beurre non salé pour faire sauter les gâteaux de morue
- 1 bouquet de ciboulette fraîche, ciselée

côtés des gâteaux de panko. Pendant que les gâteaux sont au réfrigérateur, préparer la sauce au maïs.

SAUCE AU MAÏS SUCRÉ

• Dans une petite casserole, faire fondre 2 c. à soupe de beurre à feu doux. Ajouter l'oignon et le faire cuire 10 min environ, le temps qu'il «fonde» (p. 15). Ajouter le maïs et laisser cuire 5 min à feu moyen. Ajouter le bouillon de poulet et faire cuire encore 10 min, le temps que le maïs soit tendre. Transférer dans un mélangeur, ajouter la crème et réduire en purée en ajoutant les 4 dernières c. à soupe de beurre en petits morceaux. La purée doit être bien homogène. (Pour une sauce plus raffinée, passer la sauce au tamis fin), saler et poivrer au goût et garder au chaud. Pendant ce temps, faire sauter les gâteaux de saumon.

• Préchauffer le four à 180 °C (350 °F). Dans une grande sauteuse, faire fondre à feu moyen une quantité suffisante de beurre pour en recouvrir le fond. En travaillant en petites quantités au besoin, ajouter les gâteaux de saumon et faire sauter en les retournant une fois, jusqu'à ce qu'ils soient brun doré des deux côtés en comptant 4 min environ par côté. Les transférer avec soin sur une plaque à pâtisserie et terminer la cuisson au four 10 min pour cuire les œufs complètement.

FINITION

• Napper les 6 assiettes de sauce au maïs chaude. Disposer 1 ou 2 gâteaux (selon leur taille) au centre de chaque assiette. Parsemer de ciboulette ciselée.

Pavés de saumon grillé sur un lit de haricots blancs, sauce aux oignons verts, à la tomate et aux truffes

6 portions

Pour une version encore plus sophistiquée, étager les haricots, la roquette tombée au beurre, le saumon et la sauce. Avec les haricots restants, vous ferez une délicieuse soupe au jambon ou une salade en vinaigrette.

HARICOTS

• Dans un grand faitout, combiner les haricots, le bouillon de poulet, le bouquet de thym, l'ail écrasé et la feuille de laurier et faire chauffer le tout à feu moyen. Baisser le feu et, à petits bouillons, faire cuire à découvert 2 h environ, le temps que les haricots soient tendres. (Comme les haricots doivent toujours être recouverts de liquide, il faudra peut-être rajouter de l'eau ou du bouillon.) Retirer et jeter le thym et le laurier. Dans un robot de cuisine, combiner un quart des haricots, l'ail rôti et le mascarpone. Une fois le mélange bien homogène, remettre les haricots dans le faitout. Bien mélanger, saler et poivrer au goût. Garder au chaud.

SAUCE AUX TRUFFES, À LA TOMATE ET À LA CIBOULETTE

• Dans une petite casserole, faire réduire de moitié le bouillon de poulet à feu moyen, pendant environ 10 min. Ajouter la tomate, les truffes et l'huile de truffe blanche. À feu doux, faire chauffer à petits bouillons. Ajouter le beurre un petit peu à la fois et bien fouetter entre chaque ajout jusqu'à ce que le beurre soit bien amalgamé. Ajouter la ciboulette, fouetter et saler et poivrer au goût.

INGRÉDIENTS

• 480 g (1 lb) de haricots Great Northern, triés et rincés
• 2 litres (8 tasses) de bouillon de poulet maison ou de bouillon léger en conserve, faible en sel
• ½ bouquet de thym frais, noué
• 6 gousses d'ail légèrement écrasées
• 1 feuille de laurier
• 60 ml (¼ tasse) de gousses d'ail entières rôties (p. 14)
• 100 g (½ tasse) de mascarpone
• Gros sel et poivre du moulin

SAUCE AUX TRUFFES, À LA TOMATE ET À LA CIBOULETTE

• 250 ml (1 tasse) de bouillon de poulet maison ou de bouillon léger en conserve, faible en sel
• 1 tomate mûrie sur pied, pelée, épépinée et coupée en petits dés
• 30 g (1 oz) de truffes (noires) en conserve dans leur jus, émincées
• 1 c. à soupe d'huile de truffe blanche
• 6 c. à soupe de beurre non salé froid, en petits morceaux
• 1 botte de ciboulette fraîche, émincée
• Gros sel et poivre du moulin

- 6 pavés (coupé dans le centre) de saumon fumé au wok de 180 g (6 oz) chacun (p. 112)
- 1 c. à soupe d'huile d'olive
- Gros sel et poivre du moulin
- 12 ciboulettes entières fraîches

• Badigeonner le saumon des deux côtés à l'huile d'olive. Saler et poivrer légèrement. Préchauffer un gril à feu moyen-vif. Y déposer le saumon et griller 1 min. Tourner le saumon à 90 degrés et le faire griller 1 min de plus pour obtenir un beau motif quadrillé. Réduire le feu, retourner le saumon et continuer à griller encore 1 min.

FINITION

• Déposer 150 g (¾ tasse) de mélange aux haricots blancs au centre de 6 grandes assiettes. À la cuiller, napper le saumon de la sauce et en verser aussi tout autour. Décorer chaque portion d'un croisillon de ciboulettes entières.

Saumon fumé poêlé servi avec purée de pomme de terre Yukon Gold et sauce au beurre persillé

6 portions

Une recette colorée qui attire l'œil. À mon avis, les pommes de terre russet, bien que plus légères en purée, sont moins intéressantes que les Yukon Gold denses, riches et plus goûteuses.

PURÉE DE POMME DE TERRE

• Mettre les pommes de terre dans une casserole et les recouvrir d'eau froide en ajoutant une pincée de sel. Faire bouillir à feu vif puis à petits bouillons et faire cuire à découvert environ 25 min jusqu'à ce qu'elles soient tendres.

• Pendant que les pommes de terre cuisent, mélanger dans une petite casserole la crème épaisse, le beurre et l'huile d'olive et faire mijoter à feu doux jusqu'à ce que le beurre soit complètement fondu. Saler et poivrer au goût. Égoutter les pommes de terre, les remettre dans la casserole et les réchauffer à feu moyen-doux pendant 15 à 20 sec pour leur faire perdre leur eau. Placer les pommes de terre chaudes dans un bol. À l'aide d'un mélangeur électrique, travailler les pommes de terre tout en versant lentement le mélange de crème chaude. Goûter et rectifier l'assaisonnement en continuant à battre jusqu'à ce que la purée soit lisse et légère.

• Attention de ne pas trop battre les pommes de terre qui risqueraient alors de devenir caoutchouteuses. Pour les garder bien chaudes, remplir une assez grande casserole de 5 à 8 cm (2 ou 3 po) d'eau et, à feu moyen-doux, la faire chauffer à petits bouillons. Mettre la purée dans un bol assez haut pour tenir au-dessus de 5 à 8 cm (2 ou 3 po) d'eau. Couvrir et laisser reposer.

SAUCE PERSILLÉE

• À feu vif, porter une casserole d'eau à ébullition. Saler légèrement l'eau puis jeter le persil dedans et le cuire dans un bouillon rapide (2 à 3 min) jusqu'à ce que les feuilles ramollissent tout en gardant leur couleur. Égoutter le persil, le mettre aussitôt dans un robot de cuisine et le réduire en purée. (Pour une purée bien lisse, ajouter au besoin quelques gouttes d'eau très chaude.) Passer la purée au tamis ordinaire ou très

PURÉE DE POMME DE TERRE
• 960 g (2 lb) de pommes de terre à chair jaune ou de russet pelées et coupées en cubes de 60 g (2 oz)
• Gros sel
• 375 ml (1 1/2 tasse) de crème épaisse
• 8 c. à soupe de beurre non salé
• 60 ml (1/4 tasse) d'huile d'olive fruitée extravierge
• Poivre du moulin

SAUCE PERSILLÉE
• Gros sel
• 2 bottes de persil plat frais, tiges coupées à moitié
• 125 ml (1/2 tasse) de bouillon de poulet maison ou de bouillon léger en conserve et faible en sel
• 6 c. soupe de beurre non salé
• Poivre du moulin

- 6 filets de saumon fumés au wok, de 180 g (6 oz) chacun (p. 112)
- 1 c. à soupe de beurre non salé à température ambiante
- Poivre du moulin
- Feuilles de persil plat frais

fin et réserver. Dans une petite casserole, faire chauffer le bouillon de poulet à feu moyen. Le réduire de moitié en faisant mijoter 5 min environ. Baisser le feu et incorporer le beurre 1 c. à soupe à la fois, en fouettant entre chaque ajout. Une fois le mélange bien homogène, ajouter la purée de persil, rectifier l'assaisonnement avec sel et poivre et garder au chaud.

• Faire chauffer à feu moyen une grande sauteuse antiadhésive. Badigeonner au pinceau le dessus des morceaux de saumon avec le beurre ramolli et poivrer légèrement. Mettre le saumon, côté beurré vers le bas, dans une poêle préchauffée. Faire cuire 2 min environ en tournant une fois jusqu'à ce que le poisson soit brun doré. Attention de ne pas trop le cuire.

FINITION

• Déposer une bonne cuillerée de purée de pomme de terre au centre de chaque assiette que l'on aura choisie assez grande. Placer un steak de saumon au centre de la purée. À l'aide d'une cuiller, verser la sauce persillée autour des pommes de terre. Parsemer le saumon et la purée de feuilles de persil.

Médaillons de homard et de saumon fumé en sauce américaine

6 portions

Le cognac pour la cuisine ne coûte pas cher. Réservez votre V.S.O.P. pour donner à la sauce sa touche finale.

HOMARDS

• Pour tuer les homards, enfoncer un couteau coupant juste derrière les yeux. À l'aide d'une grosse serviette, arracher du corps la queue et les pinces (avec les articulations) et retirer les élastiques des pinces. Réserver queues et pinces. Couper le corps du homard en deux dans le sens de la longueur. Retirer le tomalli (le foie) et le sac alvéolaire gris. Rincer les deux moitiés ainsi obtenues sous l'eau froide et sécher complètement.

• Préchauffer le four à 200 °C (400 °F). Dans une grande marmite, faire chauffer 60 ml (¼ tasse) d'huile d'olive à feu vif. Dès qu'elle commence à fumer, ajouter les moitiés de homard, réduire à feu moyen et faire sauter environ 10 min en retournant les carapaces jusqu'à ce qu'elles soient complètement rouges. En même temps, faire chauffer à feu vif 60 ml (¼ tasse) d'huile d'olive dans une grande sauteuse à fond épais allant au four. Ajouter les pinces et les queues et faire sauter de 3 à 5 min jusqu'à ce que les carapaces soient rouges. Mettre la sauteuse dans le four préchauffé et faire rôtir 8 min les queues et 10 min les pinces. Sortir du four et, à l'aide d'un sécateur de cuisine, enlever la chair des carapaces. (Cette opération est plus facile à réaliser lorsque la chair est encore chaude.) Réserver les carapaces et couper la chair en servant ½ queue et 1 pince avec les articulations par personne.

SAUCE AMÉRICAINE

Dans une seconde sauteuse, faire fondre le beurre à feu moyen-doux. Y ajouter les carottes, l'oignon et le céleri et faire cuire environ 20 min, le temps que les légumes soient joliment caramélisés. (Cela prend du temps, mais cette opération donne une sauce plus parfumée.) Ajouter ensuite les carapaces de homard préalablement réservées, l'ail, le thym et le persil. Mélanger 1 ou 2 min puis ajouter le cognac et le faire flamber à l'aide d'une longue allumette ou d'un briquet à butane dont

INGRÉDIENTS

- 3 homards vivants de 720 g (1 ½ lb) chacun
- 125 ml (½ tasse) d'huile d'olive

SAUCE AMÉRICAINE
- 2 c. à soupe de beurre non salé
- 2 grosses carottes pelées et coupées en dés de 6 mm (¼ po)
- 1 gros oignon jaune coupé en dés de 6 mm (¼ po)
- 4 branches de céleri coupées en dés de 6 mm (¼ po), feuilles enlevées et réservées
- 4 gousses d'ail légèrement écrasées
- 4 branches de thym frais
- 4 branches de persil plat frais
- 250 ml (1 tasse) de cognac pour la cuisine
- 500 ml (2 tasses) de vin blanc moyennement sec à doux
- 200 g (1 tasse) de tomates italiennes en conserve partiellement égouttées et hachées grossièrement
- 500 ml (2 tasses) de crème épaisse
- 250 ml (1 tasse) de crème légère
- Gros sel et poivre du moulin

- 2 c. à soupe de beurre non salé refroidi
- 6 morceaux de saumon fumés au wok de 90 g (3 oz) chacun (p. 112)
- Lait entier pour couvrir
- 6 branches de cerfeuil ou de persil frais

on se sert pour allumer les grils. (Pour plus de sécurité, enlever la sauteuse du feu.) Remettre la poêle à feu moyen. En flambant, le cognac brûle tout l'alcool. Ajouter le vin et faire réduire à feu moyen 5 à 7 min jusqu'à ce qu'il soit presque sec. Ajouter les tomates et remuer 1 ou 2 min. Ajouter ensuite la crème et la crème légère et faire mijoter à feu moyen-vif. Baisser le feu et continuer à faire cuire la sauce à feu doux. Il faut compter 45 min, pas plus, pour la faire réduire de moitié. Retirer du feu, laisser refroidir et passer dans un chinois ou un tamis fin placé au-dessus d'une petite casserole. À feu moyen, faire chauffer la sauce à petits bouillons. La faire réduire environ 15 min. Elle doit être assez épaisse pour napper une cuillère. Saler et poivrer au goût. Réserver.

• Mettre le saumon dans une sauteuse de 25 cm (10 po) dont les côtés font 5 cm (2 po) et couvrir avec le lait. Très lentement, à feu doux, faire chauffer le lait à petits bouillons. Ajouter la chair de homard à celle du saumon et chauffer 1 à 2 min de plus. Il s'agit de chauffer le homard sans cuire le saumon. À l'aide d'une écumoire, retirer délicatement le homard et le saumon du bain de lait chaud et les éponger légèrement sur un plat recouvert de 3 ou 4 épaisseurs de papier absorbant.

FINITION

• Dans le fond de 6 bols préalablement chauffés, déposer la moitié d'une queue de homard. Sur un angle, placer un morceau de saumon par-dessus la queue de homard et disposer joliment la pince qui doit pendre du morceau de saumon. Faire mijoter la sauce américaine et incorporer au fouet le beurre refroidi. Rectifier l'assaisonnement. Napper le homard et le saumon de la sauce et en verser aussi tout autour. Décorer de brins de cerfeuil.

Raviolis au saumon fumé, sauce au beurre aux petits pois

6 portions

Vous pouvez remplacer par du cresson les vrilles de petits pois (vendues dans les épiceries asiatiques). Les pâtes à won tons sont faciles à utiliser et ont un goût délicat. Bien enveloppées, elles se conservent sans problème au réfrigérateur et au congélateur.

RAVIOLIS

• Couper en petits dés l'équivalent de 2 c. à soupe de saumon et réserver. Couper le reste du saumon en morceaux de 2,5 cm (1 po) et le mettre dans un robot de cuisine avec le fromage à la crème, la crème sure et la ciboulette. Une fois le mélange bien homogène, saler et poivrer au goût. Couvrir et réfrigérer au moins 30 min. La consistance doit être ferme.

• Lorsque la garniture est ferme, étaler sur une surface plane et sèche 10 pâtes à raviolis chinois, côté fariné vers le haut. (Je prépare généralement 10 raviolis à la fois, ce qui réduit d'autant le risque de voir sécher la pâte.) À l'aide d'un petit pinceau à pâtisserie, badigeonner légèrement les pâtes avec de l'eau. Placer environ 2 c. à café (2 c. à thé) du mélange saumon-fromage au centre de chaque pâte. Par-dessus la garniture, placer une seconde pâte, côté fariné vers le bas. Avec le bord d'un verre (ou les doigts) tapoter tout autour de la garniture pour libérer le plus d'air possible et fermer le ravioli hermétiquement. À l'aide d'un emporte-pièce rond et cannelé de 8 cm (3 po) de diamètre, découper le ravioli (ou le laisser carré, au choix). Répéter le processus. On obtient en tout 30 raviolis. Placer ces derniers sur une plaque à biscuits en les espaçant de 6 mm (¼ po). Réfrigérer au moins 30 min avant de faire cuire.

RAVIOLIS

- 240 g (½ lb) de saumon fumé en tranches
- 120 g (4 oz) de fromage à la crème
- 2 c. à soupe de crème sure
- ¾ botte de ciboulette fraîche hachée, coupée en morceaux de 6 mm (¼ po) de long
- Gros sel et poivre du moulin
- 2 paquets de pâte à raviolis chinois (won tons) de 360 g (12 oz) chacun

SAUCE À RAVIOLIS

- 500 ml (2 tasses) de bouillon de poulet
- fait maison ou de bouillon léger
  en conserve faible en sel
- 1 paquet de 300 g (10 oz) de petits pois
  congelés

- Gros sel
- 9 c. à soupe de beurre non salé
- Poivre du moulin
- 120 g (¹/₄ lb) de vrilles de petits pois
  ou de branches de cresson, tiges épaisses
  enlevées
- ¹/₄ de botte de ciboulette fraîche ciselée

SAUCE À RAVIOLIS

- Dans une petite casserole, faire mijoter le bouillon de poulet à feu moyen. Y jeter les pois et les laisser 7 à 10 min jusqu'à ce qu'ils soient juste cuits. Transférer les pois et le bouillon dans un mélangeur et mixer jusqu'à ce qu'ils soient tendres. Passer dans un tamis fin arrondi ou tout autre tamis à mèches fines et remettre dans la casserole hors du feu.

- Faire bouillir sans hâte une grosse marmite d'eau. Saler légèrement puis ajouter les raviolis et les faire cuire *al dente* 6 à 8 min. Ils sont prêts quand la pâte devient translucide.

- Pendant que les raviolis cuisent, réchauffer doucement la purée de pois puis incorporer en fouettant 8 c. à soupe de beurre, un peu à la fois. Saler et poivrer au goût. Réserver.

FINITION

- Égoutter les raviolis et les placer dans un grand bol peu profond. Les remuer délicatement pour les enrober avec le beurre restant puis servir les raviolis dans 6 grandes assiettes à soupe. À l'aide d'une cuillère, répartir la sauce autour des raviolis et décorer avec les vrilles de petits pois, les échalotes et les dés de saumon fumé préalablement réservés.